SPANISH 3

A Pre-Intermediate Course in Spanish

BY JULIETA ROWLES

SPANISH 3

A Pre-Intermediate Course in Spanish

By Julieta Rowles

CR Languages LLC
2021

First Printing: 2021

ISBN 978-1-7352792-5-1

CR Languages LLC
1655 W. Fairview Ave., Ste. 117
Boise, Idaho 83702

www.crlanguages.com

Ordering Information:

Special discounts are available on quantity purchases by corporations, associations, educators, and others. For details, contact the publisher at info@crlanguages.com.

U.S. trade bookstores and wholesalers: Please contact CR Languages LLC, Tel: (208) 867-8011, or email info@crlanguages.com.

Finally! This fourth book is dedicated to my husband, Roger 'El Colo' Rowles. What would I do without you? I never could have finished these books without you, and your team at Made Right Media, especially Chloe. Thank you for your patience and your constant reassurance that everything will always be okay.

TABLE OF CONTENTS

A NOTE FROM THE AUTHOR

As a language learner myself, I know how daunting it can feel to learn to speak another language. It seems like you'll never memorize all these words or sort out all of the grammar rules. And the truth is, it's very, very difficult, but you shouldn't get discouraged because that's how languages work, and that's how it is for everyone.

There is a lot of 'advice' people give about the best way to learn a language. They say you have to use flashcards to memorize, you have to immerse yourself, you have to speak, you have to listen and repeat, you need to memorize grammar rules, etc., etc. In reality, there is no one way to learn a language. We have to do all of these things, and because we all learn differently, we have to find the things that work best for us. What might work for one person, won't work for someone else. Our brains learn differently, our personalities influence our speaking, even our native culture impacts how we acquire languages.

I created these books to be adaptable. The books themselves are all in Spanish to challenge you to begin thinking in Spanish, and to teach you how to effectively use a glossary! There is a downloadable glossary on our website, but there are also videos and downloadable PDFs in both English and Spanish, lessons, and exercises. We're striving to make these resources cover all of the bases needed to speak Spanish proficiently.

When I was a little girl living in Buenos Aires, I attended a bilingual elementary school and we used both English and Spanish. I loved speaking English. I would read out loud and record my own voice, I took private lessons, translated anything, and sang till I lost my voice to Bon Jovi's album, *These Days*. I eventually finished school and got a job where I used English for work every day. One would think that when I moved to the United States in 2010, I would have felt pretty good about my English, but I didn't! I still felt uncomfortable in situations, and even now, I learn new things daily.

Learning a language is a life-long endeavor, for anybody! The way people speak a language changes—it can't be completely documented in a course or book. As a language learner, we have to embrace this challenge and fully understand what we're getting into. The most important thing is to never get discouraged!

PARTE 1

Resumiendo lo elemental

Responde las siguientes preguntas. 

1. ¿Por qué estudias español?

   ____

2. ¿Qué cosas te gustan y qué cosas no te gustan del idioma?

   ____

3. ¿Qué cosas te resultan difíciles?

   ____

4. ¿Qué temas piensas que debes practicar más?

   ____

5. ¿De qué temas te interesa hablar?

   ____

☞ ***Diálogo***

Los vecinos.

¡Hola, hace mucho tiempo que no los veía!

Sí, es verdad, hace mucho tiempo que no nos vemos.

¿Estuvieron de viaje?

Sí, fuimos a Guatemala de vacaciones.

¿Por cuánto tiempo estuvieron allí?

Estuvimos allá por más de dos meses. Como los chicos terminaron la escuela, pensamos que sería una buena oportunidad para hacer un viaje largo, probablemente el último viaje largo con toda la familia junta.

¡Qué interesante! ¿Y por dónde estuvieron?

Estuvimos mucho tiempo en la ciudad de Guatemala, la capital. Pero también hicimos varios tours. En Guatemala hay mucha historia y también tiene montañas, volcanes activos, playas...La verdad, tiene de todo.

¡Qué bueno, me alegro mucho por ustedes!

Gracias, fue un muy lindo viaje. Especialmente porque pasamos mucho tiempo con los chicos. Ahora me tengo que preparar porque van a ir a la universidad y no los vamos a ver muy seguido.

¡Pero no te preocupes! Ya vas a ver cómo vas a disfrutar más de tu tiempo libre, no hay tanta ropa para lavar, cosas para ordenar...Y no te vas a sentir culpable esos días que no tengas ganas de cocinar, ¡una ensalada y listo!

¡Jaja...todavía voy a tener un marido!

Sí, lo sé, pero no te preocupes por Oscar...Es un chico grande, estoy segura de que puede prepararse una hamburguesa, ¿no?

Sí, pero tú sabes cómo soy, no me puedo quedar quieta ni un segundo. Además, cuando lo veo llegar tan cansado de trabajar me parte el corazón.

Ay Olga, no vas a cambiar nunca.

No, pero la verdad no hay nada más importante que la familia.

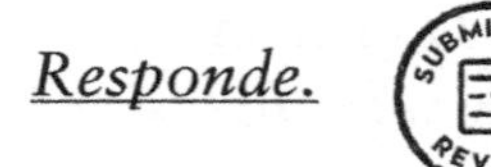

Responde.

1. ¿Dónde estuvo Olga?

   ____

2. ¿Por cuánto tiempo fue?

   ____

3. ¿Y por qué decidieron ir ahí?

4. ¿Quién es Oscar?

5. ¿Qué cosas tienes en común con Olga?

6. ¿Estás de acuerdo con lo que piensa la vecina?

7. ¿Tu madre hacía todo por ti cuando eras chico?

8. ¿Qué cosas hacías para ayudar a tu madre?

9. ¿Tu padre también colaboraba?

10. ¿Estás de acuerdo con la idea de que la familia es lo más importante? ¿Por qué sí/no?

Escribe en presente tu rutina a partir de las indicaciones dadas.

SUBMIT FOR REVIEW

1. 7:00 h despertarse

2. 7:15 h levantarse

3. 8:00 h desayunar

4. 8:30 h ducharse

5. 9:00 h salir/trabajo

6. 9:30 h comenzar/trabajo

7. 12:30 h almorzar

8. 1:00 h volver/trabajo

9. 6:00 h regresar/casa

10. 7:00 h jugar/fútbol

11. 9:00 h cenar

12. 10:30 h mirar/televisión

13. 11:30 h acostarse

Responde. SUBMIT FOR REVIEW

1. ¿A qué hora te despertaste ayer?

2. ¿A qué hora tienes clase?

3. ¿De qué hora a qué hora trabajas?

4. ¿Con quién vives?

5. ¿Cómo viniste a clase hoy?

Completa los espacios en blanco como en el ejemplo.

Ejemplo: yo/impresora/ese

Esa es mi impresora. La impresora es mía. Esa es la mía.

1. Tú/exámenes/este

 ____

2. Él/mochila/aquel

 ____

3. Nosotros/oficina/este

 ____

4. Jorge y Miguel/comida/aquel

 ____

5. Ustedes/dinero/ese

 ____

6. Laura/cartera/este

 ____

7. Ellos/hijos/aquel

 ____

8. Yo/botellas de vino/ese

 ____

9. Tú/cajas/este

 ____

10. Nosotros/documentos/aquel

 ____

Completa los espacios en blanco con el pretérito indefinido.

1. Ayer __________________ (testificar/yo) en un juicio oral.

2. El sábado __________________ (ir/nosotros) a ver una obra de teatro y __________________ (reírse) muchísimo.

3. El último presidente __________________ (promover) la educación y la cultura durante su presidencia.

4. El árbitro __________________ (favorecer) al equipo "Azul" cuando __________________ (jugar) el fin de semana pasado.

5. Isabel __________________ (esperar) por dos horas al médico que finalmente la __________________ (revisar) y le __________________ (decir) que estaba todo bien.

6. Fidel Castro __________________ (llegar) al poder en 1959.

7. A fines de la década de 1980 se __________________ (iniciar) el proceso de retorno a la democracia en Chile.

8. Jacinto nunca tiene tiempo para hacer nada. El lunes __________________ (llegar) a casa a las ocho, __________________ (cenar), __________________ (ducharse) y __________________ (ir) a la cama.

9. La guerra de la Triple Alianza __________________ (comenzar) en el año 1864 y __________________ (terminar) en 1870. __________________ (ser) una guerra entre Paraguay contra Argentina, Brasil y Uruguay. Según algunos historiadores, la población de Paraguay __________________ (pasar) de tener 1 300 000 habitantes a tener 300 000.

10. El Canal de Panamá se __________________ (inaugurar) el 15 de agosto de 1914. En 1970 se __________________ (iniciar) las negociaciones entre las autoridades de Estados Unidos y las de Panamá para que este país recupere el control del canal. El 7 de septiembre de 1977, los presidentes de ambos países __________________ (firmar) el tratado "Torrijos-Carter" por el cual se le devolvía el completo control a Panamá el 31 de diciembre de 1999.

Completa los espacios en blanco con el pretérito imperfecto.

1. Cuando Jimena y yo ______________ (tener) veintiún años fuimos de vacaciones a Acapulco.

2. Siempre que ____________ (ir/Juan Carlos) a Perú, nos ____________ (traer) botellas de Pisco.

3. Siempre ______________ (tener) celos de mi hermana menor porque yo _____________ (sentir) que mi madre la _______________ (querer) más a ella que a mí.

4. No ________________ (haber) mucha gente en el restaurante y los dueños ____________ (estar) bastante preocupados.

5. En mi primer trabajo ________________ (controlar) lo que la gente _______________ (llevar) en sus carteras y mochilas. La verdad que no me _______________ (gustar) para nada.

6. Mi abuela __________________ (soler) enojarse cada vez que yo ________________ (quemar) la comida.

7. Los diputados ________________ (querer) aprobar la nueva ley de educación, pero el senado no ________________ (estar) de acuerdo y el proyecto nunca se convirtió en ley.

8. ¿Te acuerdas como ____________________ (perfumarse) la tía Carolina? ¡No _______________ (poder/nosotras) respirar!

9. Lamentablemente tuvimos que despedir a Rodrigo. La verdad, ________________ (carecer) de todas las capacidades requeridas para el trabajo.

10. ¿Se casó Mónica? ¡No lo puedo creer, ______________ (cambiar) de novio como de peinado!

¿Pretérito indefinido o imperfecto? Escribe nuevamente el texto de abajo en pasado.

Laura va a la biblioteca porque tiene que hacer una monografía sobre 'política comparada' para una de las materias de la facultad. Pide información sobre determinados libros, pero la persona que está en atención al público es nueva y no sabe muy bien cómo ayudarla. Entonces le dice que 'use la computadora' para ver qué libros hay disponibles. Cuando Laura usa la computadora, el sistema no funciona. Laura se enoja mucho y empieza a gritar y a golpear la computadora. Entonces, se acerca una persona de seguridad y la agarra del brazo. La acompaña hasta la puerta donde le dice que no quiere volver a verla adentro y que si regresa va a llamar a la policía. Laura no puede hacer el trabajo y reprueba la materia.

Reescribe la siguiente biografía en pasado.

Evita.

María Eva Duarte es su verdadero nombre. Nace en Los Toldos, provincia de Buenos Aires en 1919. Su padre muere cuando Evita tiene seis años. Después de la muerte de su padre, se muda con su familia a Junín donde ella se queda hasta 1935.

A los quince años decide mudarse a Buenos Aires porque quiere ser actriz.

En 1944 Eva conoce a Juan Domingo Perón. Se conocen en enero y en febrero se muda con él y se casan dos años más tarde.

En febrero de 1946 Perón es elegido presidente. Evita trabaja intensamente como primera dama. Lucha para obtener el voto femenino.

Muere de cáncer el 26 de julio de 1952 a los 33 años.

Objeto directo e indirecto. Completar los espacios en blanco con el pronombre OD u OI según corresponda.

Laura _______ explicó a su profesor el problema que había tenido en la biblioteca y _______ pidió unos días más para poder hacer el trabajo. Lamentablemente, el profesor no _______ creyó y _______ respondió que todos los alumnos tenían el mismo derecho y que debía entregar_______ al mismo tiempo que los demás.

Laura se enojó mucho y _______ gritó y _______ insultó. También _______ dijo que no tenía sentimientos, que para ella esta oportunidad era única y que si no terminaba la universidad ese cuatrimestre, no podría terminar_______ porque ya no tenía más dinero para pagar_______.

El profesor _______ recordó que ya _______ había advertido porque ya _______ había dado una oportunidad en otra ocasión y _______ había avisado que era la última que _______ daba.

Laura se fue enojada dando un golpe a la puerta. El golpe fue tan fuerte que _______ rompió y unos alumnos que estaban escuchando la conversación tuvieron que arreglar_______.

Pasa las oraciones a la voz pasiva o activa según corresponda. No todos los casos son posibles.

1. La denuncia fue realizada por un vecino.

   ____

2. Los ciudadanos honraron a las víctimas con un acto en el centro de la ciudad.

   ____

3. Las elecciones fueron interrumpidas por un grupo de manifestantes.

   ____

4. A Rubén le interesa la política.

   ____

5. Chaplin vivió por muchos años.

   ____

6. El presidente inaugura el acto electoral.

   ____

7. Mucha gente participó en la manifestación.

   ____

8. El pueblo proclamó la independencia en junio de 1998.

____

Escribe el verbo 'ser' o 'estar' en el tiempo que corresponda: presente, pretérito indefinido, imperfecto o infinitivo.

1. Los investigadores _________________ analizando el ADN para determinar si el acusado _________________ culpable o no.

2. ¿Por qué _________________ tan preocupada? *Porque yo _________________ cantante y hoy tengo un concierto y _________________ enferma.*

3. Queremos darte un consejo, tienes que _________________ honesto siempre. _________________ importante saber estas cosas cuando uno trabaja con dinero ajeno.

4. ¡La botella de vino _________________ vacía otra vez! ¿Quién toma mi vino?

5. _________________ (nosotros) asistiendo a un curso de jardinería, pero dejamos de ir porque no teníamos tiempo.

6. Yo no sabía que Luján _________________ profesora en la escuela antes de _________________ la directora.

7. ¿Cómo _________________ el viaje, te gustó? *Sí, me gustó, pero no _________________ nada nuevo para mí.*

8. Ese libro _________________ publicado diez veces.

9. ¿Sabías que mis abuelos tuvieron un accidente? *No, no sabía nada. ¿Cómo _________________?* _________________ bien. _________________ solo un susto, pero el auto _________________ destruido.

10. ¿_________________ tú alguna vez en el Hotel Roca? *No, nunca _________________. ¿Por qué preguntas?* Porque yo _________________ ayer y la verdad que comí muy bien. *¿_________________muy caro?* Sí, la verdad que _________________ muy caro.

Completa el siguiente texto con 'por' y 'para'.

La semana pasada fue muy difícil ________________ mí porque ayer tuve el último examen de mi carrera. Estoy estudiando ________________ ser médico.

________________ la mañana estudiaba de seis a doce y ________________ la tarde desde la una hasta las ocho o nueve de la noche todos los días ________________ los últimos quince días. La semana pasada fue peor todavía porque estudié sin parar de seis a diez de la noche.

El profesor nos dijo que teníamos que estudiar mucho más de lo normal ________________ este examen porque era mucho más difícil que los años anteriores. Lo cambiaron ________________ completo ________________ que los alumnos no se copien las respuestas.

________________ casi todos los alumnos el examen fue muy difícil. ________________ mí no fue tanto porque sabía absolutamente todas las respuestas. Durante el examen escribí sin parar por dos horas.

Las notas van a estar ________________ el lunes de la semana que viene.

Quiero agradecer a mis padres ________________ el apoyo que me dieron mientras estudié. Gracias a su ayuda, no tuve que trabajar ________________ seis años. Los estudiantes que tenían que trabajar ________________ pagar los gastos de la facultad, todavía están estudiando porque es imposible estudiar medicina y trabajar al mismo tiempo. Lamentablemente, hay muchos alumnos que tienen que dejar de estudiar ________________ razones económicas. Me da pena ________________ ellos. Pero así es la vida. Yo tuve suerte esta vez. No creo que sea así ________________ el resto de mi vida. ________________ ese motivo, me estoy preparando ________________ luchar cuando sea necesario. Mis padres no van a estar toda la vida ________________ darme una mano. Ya escribí varias cartas de presentación ________________ enviar a los hospitales donde me interesa trabajar.

SUBMIT FOR REVIEW

Reescribe la siguiente historia en pasado.

Un gigoló

Me levanto temprano para poder estudiar, por lo menos, dos horas al día.

Entonces, cuando hace sol, traigo todos mis libros aquí, al parque, y estudio mientras escucho la radio.

Quiero escribir algo en inglés, pero estoy completamente bloqueada, así que dejo de intentarlo y después de leer un artículo en el diario comienzo a leer un libro de cuentos en portugués.

Una anciana viene y se sienta en el otro extremo del banco en el que estoy sentada (ella siempre se sienta en 'mi' banco incluso cuando hay algunos libres). Como hace cada vez más calor, trato de quitarme el suéter con capucha que tengo puesto, pero está enredado con el cable de los auriculares, así que tengo que quitármelos también. Un hombre, que parece muy viejo, está sentado en el banco junto al mío. Se levanta y empieza a caminar muy despacio hacia nosotras. Lleva un traje viejo, muy viejo y lo que posiblemente es una camisa blanca en otro tiempo, ahora es casi amarilla. Me entrega un volante que dice: "¿Le gustaría saber la verdad?", en español por supuesto. Amablemente acepto el papel, lo pongo dentro de mi libro y sigo leyendo. Cinco minutos después, regresa y hace lo mismo, pero esta vez le da uno de esos volantes a la mujer, mientras se presenta y extiende su brazo para estrecharle su mano. La señora dice: "Buenos días, señor, gracias" mientras toma el papel. Bajo el volumen de la radio para escuchar, pero el hombre se va y regresa a su banco. Como no pasa nada interesante, vuelvo a subir el volumen. En ese momento la anciana me mira, parece querer decirme algo. Yo la miro a ella como diciendo, ¿sí? Pero ella no dice nada. Dos minutos más tarde, me mira de nuevo y me pregunta si puede echar un vistazo a mi volante. Por supuesto, se lo doy. Parece estar buscando algo. Paro de leer y me saco uno de mis auriculares y le pregunto qué pasa, y sin decir una palabra, me da su volante, que por supuesto pienso que es el mismo que acabo de leer dos segundos antes. ¿Pero sabes qué? En el de ella hay un nombre y un número de teléfono. Sonrío y me dice, "Dios mío" mientras mueve su cabeza de un lado al otro. Le pregunto: "¿Qué va a hacer?" Ella me dice que no lo sabe. Así que le digo, "¿está casada?" Su respuesta es de alguna manera esperada: "Soy viuda". Solo respondo, "ah, está bien". Luego me dice, "sabes, nunca veo a este hombre antes, no es uno de los habituales aquí en el parque". Tiene razón. También es la primera vez que lo veo. Volvemos a intercambiar volantes sin decir nada y ella dice: "me voy, che ... estos hombres ...". Se va moviendo su cabeza. Le digo con una voz muy suave, (no quiero sonar grosera) "bueno, debería tomarlo como un cumplido". Creo que la ofendo, pero no es mi intención y ella no me responde. Me da pena el hombre. Cuando ella se va, la sigue con la mirada. Sin embargo, la expresión de su rostro no parece cambiar. Mientras escribo esto, cambio de estación de radio y están pasando 'Solo un gigoló'. ... Estoy tan triste y solo ...' y entonces me pregunto. ¿Es este un anciano triste y solo? ¿O es un gigoló de toda la vida y esta es una de sus últimas jugadas?

PARTE 2

Buscando trabajo

Lee los siguientes avisos/anuncios.

KJ Logística

Ubicación: Saltillo, Coahuila

Se solicita: persona para logística de transportes, con conocimiento previos para coordinar carga nacional e internacional. Experiencia: preferente con experiencia en el sector de coordinación y seguimiento de transporte de carga (no indispensable).

Estado civil: preferente soltero (a).

Sexo Indistinto.

Edad: 18 a 35 años.

Escolaridad: Preparatoria o Carrera Trunca. Idiomas: inglés (no indispensable).

Horario: disponibilidad de tiempo completo 5 días / 40 hrs. Ofrecemos: excelente ambiente de trabajo.

Plan de comisiones.

Interesados, por favor, enviar curriculum via email:

Gerente de Administración y Finanzas para importante empresa de medicamentos. Buscamos profesional graduado en ciencias económicas con un mínimo de 5 años de experiencia en posiciones similares y un mínimo de 12 años en el sector.

Educación: universitaria. Graduado/a.

- Perfil generalista (excluyente).
- Tendrá a cargo las áreas de administración, finanzas, contabilidad, impuestos y control de costos.
- Capacidad de negociación y visión estratégica.
- Edad de 35 a 55.

Enviar CV con remuneración pretendida, lugar de residencia.

Asistente de Recursos Humanos

Responsabilidades:

- Reclutar, seleccionar y brindar adiestramiento del personal.
- Preparar y procesar la nómina de pagos: ingresos, egresos, vacaciones, etc.
- Manejo de toda la documentación relacionada con el personal.
- Preparar y procesar los contratos de trabajo.
- Atender las solicitudes de los trabajadores procurando dar una solución efectiva.
- Preparar anualmente el calendario de vacaciones de los trabajadores.
- Verificar el cumplimiento de las normas de Higiene y Seguridad Industrial, a fin de evitar la ocurrencia de accidentes y enfermedades laborales.

Requisitos:

- TSU* en Recursos Humanos, Administración de Personal o carreras afines; experiencia comprobada en funciones similares no menor a 2 años (excluyente).
- Sólidos conocimientos de liquidaciones de prestaciones e indemnizaciones, entre otros. Persona proactiva, firme pero conciliadora, dinámica, negociadora, buena comunicadora.

*Técnico superior universitario.

Secretaria

Responsabilidades y funciones a desarrollar:

- Experiencia en la elaboración y corrección de informes, cartas de gerencia, certificaciones y otros documentos.
- Trabajo de archivo, fotocopias, envío de faxes, etc.
- Archivo de Correspondencia.
- Envío y control de recepción de las facturas a los clientes.

Requisitos:

- Diploma de Secretariado.
- Inglés a nivel básico.
- De 1 a 3 años de experiencia en labores similares.

Los interesados/as por favor enviar su currículum vitae a: rrhh@secretaria.com

Localidad: Tegucigalpa Sector: Administración.

Tipo de contrato: Temporal, Jornada Completa.

Experiencia mínima: 1 año.

Salario: No especificado.

Ingeniero de Sistemas

Buscamos un experto en informática enfocado en manejo de Web.

Requisitos:

- mandar cv con portafolio incluido detallando su experiencia laboral y educación a (enviar CV)
- mandar contactos de referencia mínimo 2 referencias
- vivir en Guayaquil
- mínimo 2 años de experiencia administrando y desarrollando sitios webs o similar
- sólidos conocimientos sobre programación para web, configuración y funcionamiento de servidores y bases de datos
- manejo de herramientas de audio, video y diseño gráfico
- conocimiento de marketing en internet
- dominio del inglés es preferible
- horarios son flexibles
- pago depende de experiencia y horario

Localidad: Guayaquil (Guayas)

Sector: Internet, Informática, Diseño

Tipo de contrato: Indefinido, Tiempo Parcial

Experiencia mínima: 1 año

Escribe una carta respondiendo a uno de los avisos. SUBMIT FOR REVIEW

CURRÍCULUM VITAE

Marcia González

DATOS PERSONALES

Domicilio: La Rioja 2234, 2 piso 'C'.
Celular: 3234 6585
Email: marciag@bum.com
Lugar de nacimiento: Buenos Aires, Argentina
Fecha de nacimiento: 14 de febrero de 1970
Estado civil: soltera sin hijos.

EXPERIENCIA LABORAL

<u>Diseño Actual (4/2010-actual)</u>
Secretaria recepcionista:
- Manejo de agenda; preparación y redacción de cartas/emails.
- Atención de central telefónica de 45 líneas.
- Atención de proveedores.
- Facturación.

<u>Consultora HR (2/2008-3/2010)</u>
Recepcionista:
- Atención de teléfono.
- Organización de reuniones.
- Recibir y enviar correspondencia.
- Atención a clientes

ESTUDIOS

Maestría:	Recursos Humanos (en curso)
Universitario:	Licenciada en Administración de Empresas (1990-1995)
Secundario:	Escuela Juan B. Justo, bachiller
Primario:	Escuela bilingüe Lenguas Vivas (español-inglés)

OTROS CONOCIMIENTOS

Inglés: muy bueno
Italiano: bueno
Curso en Recursos Humanos, Universidad del Norte.

¿Qué le preguntarías a una persona en una entrevista laboral? Escribe por lo menos 10 preguntas.

SUBMIT FOR REVIEW

1. ______
2. ______
3. ______
4. ______
5. ______
6. ______
7. ______
8. ______
9. ______
10. ______

Escribe una historia contando cuál fue tu primer trabajo, por ejemplo: cuántas horas trabajabas, cuáles eran tus obligaciones y por qué renunciaste.

Ahora, escribe tu CV con la información que consideres más relevante.

CURRÍCULUM VITAE

DATOS PERSONALES

EXPERIENCIA LABORAL

ESTUDIOS

OTROS CONOCIMIENTOS

REPASO

1. Buscamos una persona que hable inglés y español. Este requisito es __________________.

2. Enviar CV al departamento de __________________ indicando la remuneración pretendida.

3. Sueño con __________________ una persona muy importante.

4. Trabajé en la misma empresa __________________ diez años hasta que me retiré.

5. __________________ una persona con capacidad de negociación.

6. Enviar carta de presentación con __________________ comprobables.

7. ¿Cuáles son los __________________ para este trabajo?

8. __________________ conseguir ese trabajo debes capacitarte.

9. La fecha de nacimiento es __________________ 31 __________________ mayo __________________ 1998.

10. Su __________________ es muy limitada, solo trabajó durante dos meses en toda su vida.

11. ¿Qué escribo donde dice '__________________'? *Tu dirección postal.*

12. Buscamos una persona con __________________ generalista.

13. ¿Nos __________________ (invitar/ellos/pasado) a su fiesta?

14. __________________ trabajando en el mismo lugar desde hace diez años.

15. El __________________ de administración y finanzas tiene el sueldo más alto del departamento.

16. ¿Por qué necesitan saber mi estado __________________?

17. Los vendedores no tienen un sueldo muy alto porque tienen __________________.

18. Tengo treinta y ocho años de __________________.

19. Estoy ________________ para trabajar de ocho a cinco de la tarde.

20. Experiencia ________________: dos años.

PARTE 3

Mis proyectos

☞ *Lectura*

El año que viene.

Como el año próximo voy a terminar de estudiar, voy a hacer una lista de cosas que voy a hacer:

Viajaré durante dos meses por Europa.

Iré a Italia y a España donde visitaré a mis parientes.

Comenzaré a estudiar alemán.

Haré gimnasia cinco veces por semana.

Dejaré de fumar.

No beberé más café.

No comeré más carne.

Me despertaré todos los días a las cinco de la mañana.

Iré a correr.

Empezaré yoga.

Meditaré todas las mañanas.

Pondré más atención al conducir.

Saldré menos por la noche.

Vendré seguido a visitar a mis padres.

Sabré qué quiero hacer de mi vida.

Bueno, esas son las cosas que haré el próximo año. ¿Será posible? Veremos…

Futuro del indicativo

> Si bien muchas veces utilizamos perífrasis (grupo de palabras como, por ejemplo: ir + A + infinitivo) para expresar una idea en futuro, el futuro simple, además de expresar una acción que vamos a realizar más adelante, tiene otras funciones.

Trabajaré con mi padre a partir de marzo.

Tendré un nuevo trabajo en diciembre.

Estas dos oraciones muestran seguridad en el futuro.

El futuro también se usa en preguntas retóricas o para hacer suposiciones en el presente:

¿Lloverá mañana?

¿Vendrá Jimena a la fiesta?

¿Conseguiré un trabajo pronto?

¿Dónde está Juan?

Estará en la cocina. (Estoy suponiendo que está en la cocina.)

Está en la cocina. (Sé que está en la cocina porque lo vi.)

Verbos regulares

Verbos terminados en AR como ACOMPAÑ-AR

Yo acompañaré	ACOMPAÑAR + É
Tú/Vos acompañarás	ACOMPAÑAR + ÁS
Él/Ella/Usted acompañará	ACOMPAÑAR + Á
Nosotros/as acompañaremos	ACOMPAÑAR + EMOS
Vosotros/as acompañaréis	ACOMPAÑAR + ÉIS
Ustedes acompañarán	ACOMPAÑAR + ÁN
Ellos/as acompañarán	ACOMPAÑAR + ÁN

Verbos terminados en ER como RECORR-ER

Yo recorreré	RECORRER + É
Tú/Vos recorrerás	RECORRER + ÁS
Él/Ella/Usted recorrerá	RECORRER + Á
Nosotros/as recorreremos	RECORRER + EMOS
Vosotros/as recorreréis	RECORRER + ÉIS
Ustedes recorrerán	RECORRER + ÁN
Ellos/as recorrerán	RECORRER + ÁN

Verbos terminados en IR como MENT-IR

Yo mentiré	MENTIR + É
Tú/Vos mentirás	MENTIR + ÁS
Él/Ella/Usted mentirá	MENTIR + Á
Nosotros/as mentiremos	MENTIR + EMOS
Vosotros/as mentiréis	MENTIR + ÉIS
Ustedes mentirán	MENTIR + ÁN
Ellos/as mentirán	MENTIR + ÁN

Como podemos ver, todas las personas llevan acento menos "nosotros" y las tres formas (ar, er, ir) tienen la misma terminación.

Escribe el futuro de los siguientes verbos.

1. ____________________ (abrir) las ventanas.

2. ____________________ (aceptar/nosotros) la propuesta y ____________________ (firmar) el contrato la semana que viene.

3. Ellos se mudaron a una nueva ciudad. ____________________ (adaptarse) pronto al nuevo estilo de vida.

4. Omar ____________________ (adivinar) la respuesta.

5. Nunca ____________________ (admitir) sus errores.

6. Carlos y Mónica ____________________ (adoptar) un bebé el año próximo.

7. ____________________ (agregar/yo) más huevos a la masa.

8. Rogelio ____________________ (alimentar) animales en el zoológico a partir de febrero.

9. El plomero ____________________ (calcular) los gastos y nos ____________________ (enviar) el presupuesto por email.

10. ¡____________________ (calificar/yo) y ____________________ (entrar) al campeonato, estoy seguro!

Verbos irregulares

	Poner	Poder	Decir	Hacer
Yo	Pondré	Podré	Diré	Haré
Tú/Vos	Pondrás	Podrás	Dirás	Harás
Él/Ella/Usted	Pondrá	Podrá	Dirá	Hará
Nosotros/as	Pondremos	Podremos	Diremos	Haremos
Vosotros/as	Pondréis	Podréis	Diréis	Haréis
Ustedes/Ellos/Ellas	Pondrán	Podrán	Dirán	Harán

Verbos como "poner" pierden la "e" o la "i" y agregan una "d" **PON-(E)-D-R-É**

Verbos como poner: salir, tener, valer, venir

Conjuga el verbo SALIR.

Yo: ____________________ Nosotros: ____________________

Vos/Tú: ____________________ Vosotros: ____________________

Él/Ella: ____________________ Ellas: ____________________

Conjuga el verbo TENER.

Yo: ____________________ Nosotros: ____________________

Vos/Tú: ____________________ Vosotros: ____________________

Él/Ella: ____________________ Ellas: ____________________

Conjuga el verbo VALER.

Yo: ____________________ Nosotros: ____________________

Vos/Tú: ____________________ Vosotros: ____________________

Él/Ella: ____________________ Ellas: ____________________

Conjuga el verbo VENIR.

Yo: ______________________ Nosotros: ______________________

Vos/Tú: ______________________ Vosotros: ______________________

Él/Ella: ______________________ Ellas: ______________________

Verbos como "poder" pierden la vocal de la terminación **POD-(E)-R-É**

Verbos como poder: haber, querer, saber.

Conjuga el verbo QUERER.

Yo: ______________________ Nosotros: ______________________

Vos/Tú: ______________________ Vosotros: ______________________

Él/Ella: ______________________ Ellas: ______________________

Conjuga el verbo SABER.

Yo: ______________________ Nosotros: ______________________

Vos/Tú: ______________________ Vosotros: ______________________

Él/Ella: ______________________ Ellas: ______________________

El verbo "haber" en futuro es "habrá".

Habrá mucha gente en el concierto.

¿Habrá sol mañana?

Completa los espacios en blanco con el futuro del verbo dado.

1. ______________________ (poner/yo) más gaseosas en la heladera.

2. ¿______________________ (poder/tú) mover la mesa solo?

3. Les ______________________ (decir/nosotros) que ______________________ (llegar) más tarde de lo previsto.

4. ____________________ (hacer/ellos) lo que puedan.

5. ____________________ (salir/yo) lo antes posible.

6. ____________________ (ganar/nosotros) la lotería y ____________________ (tener) mucho dinero.

7. Los Macri ____________________ (venir) mañana al mediodía.

8. ____________________ (haber) una fiesta de disfraces el sábado por la noche.

9. Raquel ____________________ (saber) la verdad apenas llegue.

10. ____________________ (tener/nosotros) que dejar todo preparado para el viaje la noche anterior.

Cambia los verbos del presente al futuro.

1. Salimos en el vuelo de las 13.57 h.

   ____

2. Hay mucha gente en la manifestación.

   ____

3. Queremos verte.

   ____

4. Ponemos nuestro mayor esfuerzo.

   ____

5. Augusto dice que no tiene tiempo para hacer estas tareas.

   ____

6. Eva viene sola a la fiesta, se separó del marido.

   ____

7. Todos sabemos cómo es la verdadera historia.

   ____

8. Vale la pena hacer este viaje.

   ____

9. Tenemos que enfrentarlo antes que la situación empeore.

____

10. ¿Lees lo que escribí? Te va a gustar, estoy seguro.

____

Completa las preguntas con un verbo que tenga sentido con la oración.

SUBMIT FOR REVIEW

1. Son las tres de la mañana y tocaron el timbre. ¿Quién ______________________?

2. Me pregunto quién ______________________ a la fiesta.

3. Es el día del concierto y se olvidó de comprar las entradas. ¿______________________ entradas todavía?

4. Quiero invitar a Julia al cine, pero no sé si va a aceptar. ¿______________________ mi invitación?

5. Envié mi CV a una compañía y estoy esperando que me llamen. ¿Me ______________________?

6. Mañana tengo un asado y no sé si llevar una campera. ¿______________________ frío mañana?

7. Quiero saber quién escribió "El libro de arena". ¿Quién ______________________ el autor?

8. ¿Dónde ______________________ la salina de Uyuni? *Queda en Bolivia.*

9. ¿______________________ el avión con esta tormenta?

10. ¿Cómo ______________________ la vida en otro planeta?

Mismo verbo, diferente significado

Verbos llevar-llevarse/quedar-quedarse/parecer-parecerse

Algunos verbos cambian de significado dependiendo de cómo se usen (como verbo reflexivo, como gustar, etc.)

A continuación, tenemos algunos ejemplos.

Verbo llevar

1. **Llevar como trasladar/transportar**

¿Llevo el vino a la mesa?

Llevamos a nuestros hijos a la escuela todas las mañanas.

Voy para el centro, ¿quieres que te lleve a algún lado?

2. **Llevar para saber cuánto tiempo se necesita para hacer algo, como el verbo gustar.**

¿Cuánto tiempo les lleva a ustedes hacer este ejercicio?

Nos lleva diez minutos.

¿Te lleva mucho tiempo llevar y traer a tus hijos de la escuela?

No me lleva mucho tiempo porque vivimos cerca.

3. **Llevarse + bien o mal como verbo reflexivo**

¿Te llevas bien con tus hermanos?

Sí, todos nos llevamos muy bien. / No, nos llevamos mal.

¿Cómo se llevaban con sus compañeros de trabajo?

Al principio nos llevábamos muy bien, pero después de unos meses todo cambió.

Quedar/quedarse

1. **Quedar como convenir o acordar**

   Quedamos en encontrarnos a las tres en el café de la esquina.
   ¿En qué quedaste con Raúl?
   Quedó en llamarme mañana.

2. **Quedar + bien/mal/grande, etc. como el verbo gustar**

   La falda me queda grande.
   ¿Cómo te queda la chaqueta?
   ¡Me queda horrible!
   No le gusta, le queda mal.

3. **Quedarse como verbo reflexivo, permanecer en un lugar**

   Me quedo en la ciudad este fin de semana.
   ¿Se quedan hasta tarde en la oficina?
   Generalmente nos quedamos hasta las seis.

4. **Quedar + tiempo/lugar**

   Queda media hora antes de la película.
   Quedan 10 km. para San Francisco.

5. **Quedar usado para saber cuánto tenemos de algo, cantidad; como el verbo gustar**

   Te queda poca azúcar.
   No nos queda dinero.

   ¿Cuánto dinero nos queda en el banco?
   ¡No nos queda nada!

Parecer/parecerse

1. **Parecer como 'creo' o 'pienso', como el verbo gustar. Para expresar una opinión**

   ¿Qué te parece la idea?

   Me parece mal que los jóvenes fumen.

2. **Parecerse como similar**

   Juana se parece mucho a su madre.

   Te pareces mucho a tu hermana.

Completa los espacios en blanco con alguno de los verbos arriba mencionados según el sentido de la oración.

1. ¿Hasta cuándo __________________ (tú) en Madrid? __________________ *(yo) hasta el martes.*

2. ¿Cómo __________________ (ustedes) con su familia? __________________ *bien. Siempre estamos juntos.*

3. ¿Le gustó a Mariana el pantalón? -Sí, le gustó, pero __________________ grande.

4. ¿Cuánto tiempo __________________ ir desde tu casa hasta el hospital en autobús? __________________ *más o menos treinta minutos.*

5. ¿Quieres __________________ a cenar? *No me puedo* __________________, *tengo muchas cosas para hacer.*

6. ¿En qué __________________ con Martín? *No*__________________ *en nada.*

7. ¿Para dónde vas, puedes __________________ al médico? Es aquí cerca.

8. Juan __________________ en comunicarse conmigo, pero nunca lo hizo.

9. ¿__________________ bien que los alumnos puedan vestirse tan informalmente? *¡Claro,* __________________ *genial!*

10. ¿__________________ manzanas en el refrigerador? *Sí,* __________________ *tres.*

Escribe oraciones con el vocabulario dado.

Ejemplo: Yo/maletas/al auto llevar *Llevo las maletas al auto.*

1. Los Güemes/a sus hijos/al colegio/todos los días llevar

____

2. A mí/ mucho tiempo/hacer la tarea llevar

____

3. Ir de mi casa a la universidad/yo/20 minutos llevar

____

4. Oscar/muy mal con sus padres llevarse

____

5. Teresa y yo/encontrarse a las 8 en la esquina de su casa quedar

____

6. Este pantalón/muy grande quedar

____

7. Este verano/nosotros/en casa quedarse

____

8. Necesitar/yo/más azúcar/poco quedar

____

9. Si/querer ir/al teatro/comprar entradas/pocas quedar

____

10. A mi padre/una mala idea parecer

____

11. Yo/mucho/a mi hermana parecerse

____

12. ¿Pensar/tú/a mi prima? Parecerse

____

13. Olvidar (pasado) los documentos al abogado Llevar

____

14. Ese color/a él /muy bien Quedar

____

15. Ana/con el abogado/reunirse a las 4 de la tarde Quedar

____

16. ¿Cómo/con tus compañeros de trabajo? Llevarse

____

17. Ellos en la oficina hasta tarde hoy Quedarse

____

18. ¿A ustedes/ir a este restaurante o preferir otro? Parecer

____

REPASO

1. ¿Qué ______________________ (parecer/a ti) el discurso del presidente?

2. Roco ______________________ (parecerse) mucho a su abuelo. ¡Son iguales!

3. ¿______________________ (participar/tú/futuro) en el campeonato?

4. ______________________ (poner/nosotros/futuro) más atención, te lo aseguro.

5. ¿Magdalena ______________________ (venir/futuro)?

6. Ricardo ______________________ (estar/futuro) listo y ______________________ (saber/futuro) lo que quiere cuando llegue el momento.

7. No sé si el avión ______________________ (aterrizar/futuro) o no.

8. José ______________________ (decir/futuro) la verdad.

9. ¿Qué ______________________ (hacer/ellos/futuro) si llueve?

10. ¡El pasaje de avión cuesta 10 000 dólares! *¡______________________ (valer/ futuro) la pena!*

11. Comer, yo comeré; venir, tú ______________________; querer, él ______________________ y poder, nosotros ______________________.

12. Rebeca no quiere ______________________ (quedarse) sola desde que tuvo el accidente.

13. ¿Cuánto tiempo ______________________ (quedar) de clase?

14. ¿Qué les ______________________ (parecer) a ustedes si vamos a cenar a las siete de la tarde?

15. ¿Puedes ______________________ (llevar) estas cajas a Miriam, por favor?

16. ¿Les ______________________ (parecer) bien si nos encontramos en el café de siempre?

17. ¡Me encanta como le ______________________ (quedar) la blusa a tu mamá!

18. ¡Te prometo, todos tus sueños se ______________________ (hacer/futuro) realidad!

19. Yo ______________________ (leer) lo que me escribió.

20. El lunes ______________________ (ser/futuro) su primer día de trabajo.

PARTE 4

¿Qué pasó ayer? ¿Y qué había pasado antes de ayer?

☞ *Lectura*

El robo.

El domingo pasado, un ladrón entró a mi casa. Me robó varias cosas, algunas de valor y otras no tanto, pero significaban mucho para mí: una computadora que había comprado cuando viajé a Estados Unidos y que me había salido muy barata. No me importaba tanto la máquina, pero sí las fotos que había guardado una semana antes, habían bajado todas las fotos de mis últimos viajes.

También se llevó una valija llena de ropa que no era mía. Un amigo me había pedido que se la guardara por unos días hasta que encontrara un apartamento.

Le dije a la policía que había notado que alguien me había estado observando durante las últimas semanas, pero no podía explicarles bien cómo me había dado cuenta.

No había puesto la alarma, así que el ladrón pudo entrar sin que nadie se diera cuenta de nada. El portero ya se había ido a su casa, por lo tanto, no había nadie en la puerta de calle. La policía todavía lo está buscando, pero tengo pocas esperanzas de que lo encuentren.

Después de varios días, la policía lo encontró. El ladrón les dijo que estaba dispuesto a devolver todo lo que se había llevado si yo prometía retirar la denuncia.

Yo ya les había dicho a los oficiales con quienes había hablado antes que estaba preparada para cualquier cosa con tal de recuperar mis fotos.

Pretérito pluscuamperfecto

Formación

Los verbos compuestos se forman con el verbo auxiliar haber + el participio pasado.

En este caso usamos el verbo haber en pretérito imperfecto:

Pronombre personal	Haber
YO	HABÍA
TÚ/VOS	HABÍAS
ÉL/ELLA/USTED	HABÍA
NOSOTROS/AS	HABÍAMOS
VOSOTROS/AS	HABÍAIS
USTEDES/ELLOS/AS	HABÍAN

Formación de participios regulares

A los verbos regulares les sacamos la terminación (ar, er, ir) y agregamos las terminaciones 'ADO' para los verbos terminado en 'ar' e 'IDO' para los verbos terminados en 'er' e 'ir'.

HABLAR ADO HABL-ADO
COMER IDO COM-IDO
VIVIR IDO VIV-IDO

Participios irregulares

VERBO	PARTICIPIO IRREGULAR
Abrir	Abierto
Cubrir	Cubierto
Escribir	Escrito
Hacer	Hecho
Romper	Roto
Morir	Muerto
Volver	Vuelto
Resolver	Resuelto
Decir	Dicho
Ver	Visto
Poner	Puesto

Este tiempo se usa para expresar acciones pasadas, anteriores a otras también pasadas:

7 p.m. 8 p.m. 10 p.m. 11 p.m.

_____|_____|__________|__________|_______ (línea de tiempo)

Ejemplos:

Cuando llegué (a las 10 p.m.) la fiesta ya había comenzado. (La fiesta comenzó a las 8 p.m.)

No cené con Joaquín porque él ya había cenado. (Yo cené a las 8 p.m. y él cenó a las 7 p.m.)

La acción expresada en pretérito pluscuamperfecto ocurrió antes y está terminada.

Antes de + infinitivo

Antes de vivir en Francia había vivido en Inglaterra.

Antes de estudiar japonés había estudiado chino.

Completa las siguientes oraciones usando el verbo dado en pluscuamperfecto.

Ejemplo: No te llamé… (pensar/salir) *porque pensé que habías salido.*

1. No te esperé para cenar …(pensar/cenar)

   ___

2. Pagué las cuentas… (pensar/olvidarse)

   ___

3. Cuando llegamos…(ya/llamar)

   ___

4. Cuando llegué a mi casa supe que mi perro… (morder) al vecino.

   ___

5. No sabía que vos… (casarse)

   ___

6. Cuando llegaron los bomberos la casa …(incendiarse)

   ___

7. Cuando llegó la policía el ladrón… (escapar)

   ___

8. No pude ver el video en internet porque cuando quise verlo...(sacar)

   ___

9. Ya te (decir) que nos íbamos temprano.

   ___

10. Cuando se dieron cuenta...el tren (ya/salir).

   ___

Completa las oraciones usando "antes de" y "ya".

Ejemplo: Cocinar/hacer las compras (yo) *Antes de cocinar ya había hecho las compras.*

1. Hacer los ejercicios/practicar (nosotros)

   ____

2. Ir al cine/comprar las entradas (ellos)

   ____

3. Viajar a Guatemala/leer la guía (ustedes)

   ____

4. Comprar la casa/ahorrar mucho dinero (nosotros)

   ____

5. Correr la maratón/transpirar (yo)

   ____

6. Dormir/cenar (Leonardo)

   ____

7. Publicar un libro/escribir varias novelas (un escritor)

   ____

8. Casarse/comprar la casa (la pareja)

   ____

9. Comprar muebles/tomar las medidas (nosotros)

   ____

10. Enfermarse/llamar al médico (Tomás)

   ____

Escribe el verbo entre paréntesis en el pretérito pluscuamperfecto.

1. Los padres la retaron porque ____________________ (llegar) tarde.
2. No pudimos ver la película porque cuando llegamos al cine nos dijeron que la ____________________ (censurar).
3. Gabriela estaba preocupada porque ____________________ (circular) rumores de que ____________________ (renunciar) a su trabajo.
4. Pablo estaba muy afligido porque ____________________ (perder) su trabajo.
5. No le ____________________ (decir) la verdad porque pensamos que era lo mejor.
6. La policía interrogó al ladrón para saber cómo ____________________ (robar) las joyas.
7. Las calles se inundaron porque ____________________ (llover) más de lo normal.
8. Decidieron divorciarse y dos días antes ____________________ (celebrar) su aniversario de bodas.
9. Estábamos contentos porque ____________________ (resolver) el problema.
10. Se quemó la lengua porque la comida no ____________________ (enfriarse).
11. Tomás ____________________ (enojarse) con Luisa porque le ____________________ (decir) que llegaba a las 3 p.m. y llegó a las 5:30 p.m.
12. Nosotros ya ____________________ (venir) a este restaurante, pero no nos acordábamos.
13. ¿Ustedes ya ____________________ (estar) en París?
14. Nunca antes ____________________ (salir) del país (nosotros).
15. José estaba preocupado porque ____________________ (firmar) un documento que lo comprometía.

Conjuga los verbos entre paréntesis usando el infinitivo, el presente del indicativo, el pretérito indefinido, imperfecto o pluscuamperfecto según corresponda.

El año pasado ______________________ (ir) a Brasil, al nordeste brasileño. ______________________ (ser) una experiencia única.

Todo ______________________ (ser) tan lindo. El hotel ______________________ (ser) cinco estrellas. ______________________ (tener) dos piscinas y una de ellas ______________________ (dar) a la playa.

El agua no ______________________ (ser) ni muy fría ni muy caliente. Tenía la temperatura ideal.

______________________ (haber) tres restaurantes. Uno más formal, otro en la playa y el tercero ______________________ (ser) donde ______________________ (desayunar) todas las mañanas. ______________________ (estar) ubicado en una terraza y ______________________ (tener) vista al mar. ______________________ (desayunar) todos los días a las 7 a.m. porque allá ______________________ (amanecer) a las 5 a.m. y a las 5 p.m. ya ______________________ (ser) de noche.

Después de ______________________ (desayunar) ______________________ (ir) a la playa. ______________________ (nadar) en el mar, que ______________________ (ser) transparente y de agua tibia.

Alrededor de las 12 p.m. ______________________ (almorzar) en la playa. Generalmente ______________________ (comer) una ensalada debajo de la sombrilla, ______________________ (tomar) una cerveza o una caipiriña. Más tarde ______________________ (dormir) la siesta a la sombra. Siempre ______________________ (hacer) lo mismo.

Por lo general, a eso de las cinco de la tarde, ______________________ (ir) a ______________________ (tomar) un trago a la barra de la playa. Siempre ______________________ (haber) música entonces ______________________ (bailar). También______________________ (conversar) con la gente del lugar o con otros turistas.

La gente de Brasil siempre ______________________ (estar) de buen humor.

Cuando ya ______________________ (ser) de noche, ______________________ (bañarse) y ______________________ (salir) a comer a algún restaurante. Casi siempre ______________________ (comer) frutos de mar o pescado.

En ese viaje ______________________ (comprar) muchas cosas. La ropa de playa ______________________ (ser) muy barata y linda. También ______________________ (comprar) regalos para toda mi familia.

Siempre que ______________________ (ir) de viaje ______________________ (comprar) regalos. ______________________ (ser) una forma de hacerles saber que

siempre me acuerdo de ellos.

También ______________________ (hacer) muchos paseos en barco. ¡Me encantan los paseos en barco por el medio del mar! ______________________ (ser) muy divertidos.

La verdad, ______________________ (ser) uno de mis mejores viajes. Yo ya ______________________ (ir) a Brasil varias veces. Por este motivo, no ______________________ (ser) algo nuevo para mí. Pero, de todas formas, lo ______________________ (disfrutar) mucho porque ______________________ (ser) un país donde me encantaría vivir. ______________________ (ser) un sueño que ______________________ (tener) y que no ______________________ (saber) si algún día lo ______________________ (ir) a cumplir, pero seguramente, ______________________ (ir) a volver a ir en otras vacaciones.

Verbos como gustar en el pretérito pluscuamperfecto

El verbo 'gustar' y similares mantiene la misma estructura que en los demás tiempos. Solo tiene dos formas, singular y plural.

Por ejemplo:

Fui a cambiar el regalo porque no me había gustado.

Ricardo fue a cambiar los zapatos que le regalamos porque le quedan grandes, pero yo estoy segura de que no le habían gustado mucho y por eso los cambió.

Singular	el regalo	había gustado
Plural	los zapatos	habían gustado

El participio, 'gustado' no cambia. Como todos los participios, cuando son parte de un verbo compuesto no cambian ni de género ni de número.

Arma oraciones con el vocabulario dado usando el pretérito pluscuamperfecto y el pretérito indefinido y agrega lo que sea necesario.

1. Yo pensar/pantalón gustar a Diego.

   ____

2. Paz creer que su novio/caer mal a mí.

   ____

3. Luis hacer lo mismo/a su madre molestar antes.

   ____

4. Lisa decidir volver a Nueva York/fascinar.

   ____

5. Mi abuelo tener un problema pulmonar/doler antes.

   ____

Los acentos en español

Los acentos gráficos son importantes porque nos dicen cómo se pronuncian las palabras. No todas las palabras llevan un acento gráfico, pero todas tienen un acento prosódico. El acento prosódico es la fuerza de pronunciación sobre la sílaba de una palabra.

Veamos a continuación algunas reglas que nos ayudan a entender cuándo escribir el acento gráfico en una palabra.

Palabras agudas

Las palabras agudas son las palabras que tienen el acento prosódico en la última sílaba.

Ejemplos de palabras agudas son:

Ha**bló** Recomenda**ción** Ha**blé** Va**lor** Estu**diar**

Can**ción** Ver**dad** Qui**zás** A**mor** Ren**cor**

Regla # 1

Palabras agudas llevan acento gráfico (tilde) cuando tienen acento prosódico en la última sílaba y terminan en N, en S o en VOCAL. Si no terminan en N, en S o en VOCAL no llevan acento ortográfico.

Escribe el acento gráfico en las palabras que corresponda.

tener	cancion	conversar	mama	colibri
rubi	razon	Paris	estoy	virrey
inflacion	robot	reloj	ventilador	japones

Palabras llanas o graves

Las palabras llanas o graves son las palabras que tienen el acento prosódico en la penúltima sílaba.

Ejemplos de palabras llanas o agudas son:

Libro	Di**fí**cil	Ra**bi**no	**Ár**bol	**Bí**ceps
Ángel	**Ca**sa	**Fá**cil	Es**tre**lla	**Me**sa

Regla # 2

Palabras graves o llanas llevan acento gráfico (tilde) cuando tienen acento prosódico en la penúltima sílaba y NO terminan en N en S o en VOCAL. Si terminan en N en S o en VOCAL no llevan acento ortográfico.

Escribe el acento gráfico en las palabras que corresponda.

debil	cesped	marmol	martes	azucar
lechuga	futbol	joven	mismo	lectura
habil	trebol	queja	lunes	pechuga

Palabras esdrújulas

> Las palabras esdrújulas son las palabras que tienen el acento prosódico en la antepenúltima sílaba.

Ejemplos de palabras esdrújulas son:

Préstamo	**Crédito**	Llegábamos	**Esdrújula**	Murciélago
Pájaro	**Sábado**	**Pálido**	Película	**Lógica**

Regla # 3

Palabras esdrújulas llevan acento gráfico (tilde) cuando tienen acento prosódico en la antepenúltima sílaba. Todas las palabras esdrújulas llevan tilde.

Escribe el acento gráfico en las palabras que corresponda.

proposito	comodo	telefono	mascara	lagrima
cascara	huerfano	tecnico	fantastico	silaba
triangulo	America	medico	musica	interprete

Algunos verbos y preposiciones

☞ *Lectura*

Los beneficios de ser mayor o 'viejo'.

Primero de todo, acabamos de usar la palabra 'viejo' y como podemos ver, está entre comillas. ¿Por qué? En español, cuando usamos la palabra 'viejo o vieja' para describir a una persona, no es algo muy cortés a menos que hablemos de nuestro padre o nuestra madre a quienes podemos llamar 'los viejos'.

Cuando hablamos de una persona de muchos años, podemos decir que es una persona mayor. Existe un dicho en español que dice 'viejos son los trapos'. ¿Se imaginan lo que significa?

Ahora que ya aclaramos que las personas son 'mayores' y no 'viejas' vamos a hablar de los beneficios de ser 'mayor'. De lo contrario, vamos a terminar hablando de otro tema. ¿Hay beneficios?

¡Claro que sí!

Voy a enumerar algunos y ustedes van a escribir qué piensan de cada uno. ¿Dale?

1. Uno se atreve a decir lo que piensa.
2. Se infiere de lo anterior que uno no se arrepiente de las cosas que dice.
3. Las personas mayores saben resignarse a aceptar las cosas como son.
4. No dudan tanto de sus cualidades.
5. No tienen miedo al bochorno.
6. Se divierten con poco.
7. No se quejan de cosas insignificantes.
8. Se alejan de las malas compañías y se acercan más a la familia.
9. Piensan menos en el futuro y más en el presente.
10. Tardan menos en vestirse.

Y ahora tú, dime qué piensas de cada uno de los puntos arriba mencionados.

SUBMIT FOR REVIEW

1. ____

____

2. ____

____

3. ____

____

4. ____

____

5. ______________________________

____

6. ______________________________

____

7. ______________________________

____

8. ______________________________

____

9. ______________________________

____

10. ______________________________

____

Volver + A + infinitivo

Volver a hacer algo significa hacer algo otra vez.

Ejemplos:

1. Estoy un poco decepcionada porque mi marido volvió a fumar. (Había dejado, pero empezó de nuevo)
2. Volví a tomar clases de yoga porque me dolía mucho la espalda. (Tomé clases antes, paré por un tiempo y ahora tomo clases otra vez)

Terminar/acabar + gerundio

Terminar o acabar haciendo algo es el resultado final de una acción.

Ejemplos:

1. ¿Dónde durmió Lujan anoche? *Iba a dormir en la casa de Luciano, pero como llegó tan tarde terminó durmiendo en un hotel.*
2. Íbamos a ir a Rusia, pero el tema de la visa llevó más tiempo del que esperábamos y terminamos yendo a Austria.

Escribe oraciones con 'volver + a + infinitivo' y con 'terminar/acabar + gerundio'.

SUBMIT FOR REVIEW

1. ______________________________

2. ______________________________

3. ______________________________

4. ______________________________

5. ______________________________

6. ______________________________

Acabar (en presente) + de + infinitivo

Se usa para describir algo que pasó muy recientemente. Es una acción del pasado inmediato.

Ejemplos:

1. ¿Ya cenaste? *No, acabo de llegar. (Llegué hace 5 minutos o menos)*
2. ¿Dónde está Patricio? *Se acaba de ir.*
3. Yo acabo de llegar.
4. Tú acabas de despertarte.
5. Gonzalo acaba de irse a la oficina.
6. Nosotros acabamos de recibir la noticia.
7. Mis padres acaban de salir para el aeropuerto.

Recién + verbo (en pretérito indefinido)

Se usa para describir algo que pasó muy recientemente. De hecho, es lo mismo que decir 'Acabar de + Presente'.

Ejemplos:

1. ¿Ya cenaste? No, recién llegué.
2. ¿Dónde está Patricio? Recién se fue.
3. Recién llegué.
4. Recién te despertaste.
5. Gonzalo recién se fue a la oficina.
6. Recién recibimos la noticia.
7. Mis padres recién salieron para el aeropuerto.

Más verbos y sus preposiciones

A

1. Nos estamos acercando a la costa, puedo sentir el viento del mar...
2. No me atrevo a saltar de esa montaña por más que me digan que es muy seguro.
3. Oscar no se resigna a perder a su familia y por eso, contrató a un nuevo abogado.

CON

1. No estoy de acuerdo con Juan/contigo.
2. Nos divertimos mucho con los chicos de la clase.
3. María sueña con ser bailarina clásica.

DE

1. Me arrepentí de llamarlo.

2. No dudo de ti, pero tengo dudas de tus intenciones.

3. ¡Siempre te quejas de todo!

4. Ahora nos estamos alejando del centro, estamos yendo hacia las montañas.

EN

1. No confío en Ramón, no tiene buenas intenciones.

2. El juego consiste en obtener la máxima cantidad de tréboles.

3. Pienso mucho en mi familia.

4. ¿Por qué tardas tanto en vestirte?

Completa los espacios en blanco con la preposición apropiada.

1. Acabamos __________ tener una reunión muy importante con el director de la empresa.

2. Voy a dormir una siesta. Avísame cuando nos estemos acercando __________ lago así puedo disfrutar de la vista.

3. ¡Alejandro es un temerario, se atreve __________ hacer las cosas más peligrosas que existen en el mundo!

4. No confía __________ los perros porque cuando era niña uno la mordió y quedó muy asustada.

5. ¿Piensan __________ sus amigos de la infancia?

6. Acabamos __________ hacer la reserva.

7. Tardamos más de lo esperado __________ terminar el proyecto.

8. ¿__________ qué se está quejando esa persona?

9. Mis suegros sueñan __________ dar la vuelta al mundo en un velero.

10. No dudamos __________ que sea una mala idea.

> ¡Atención!
>
> Pienso *en* mis hijos cuando están lejos.
>
> Pero...
>
> Pienso *que* tengo razón.
>
> ¿Piensas *que* es una buena idea?

Escribe oraciones con el siguiente vocabulario. Usa las expresiones: volver + infinitivo/terminar + gerundio/acabar + gerundio/acabar de + infinitivo.

Ejemplo: Yo volví a fumar porque estaba muy estresado.

Íbamos a jugar al tenis, pero terminamos jugando al fútbol.

YO	ESTUDIAR
TÚ	VIVIR
ÉL	LEER
USTED	DORMIR
ELLA	TRABAJAR
NOSOTROS	PELEAR
USTEDES	SALIR
ELLOS	IR
ELLAS	PARTICIPAR
MARÍA Y YO	ENOJARSE
OSCAR Y MARTÍN	PROHIBIR
MIS HIJOS	ORGANIZAR
TUS AMIGOS	ACEPTAR

1. ______________________________

2. ______________________________

3. ______________________________

4. ______________________________

5. ______________________________

6. ______________________________

7. ______________________________

8. ______________________________

9. ______________________________

10. ______________________________

11. ____
____
____

12. ____
____
____

13. ____
____
____

Completa los espacios en blanco con la preposición que mejor complete la oración.

1. Mi hijo se ha empeñado ______________ estudiar psicología, pero su padre y yo queremos que estudie medicina.
2. La hija de los vecinos siempre se queda ______________ los juguetes de Carolina porque dice que le gustan más que los que ella tiene.
3. Jimena no se acordó ______________ llamar al médico y ahora tiene que esperar más de un mes.
4. Cuando le dijimos que su perro había muerto se echó ______________ llorar y no paró ______________ que se quedó dormida.
5. Mi marido y yo estamos pasando ______________ un momento muy difícil y estamos yendo ______________ terapia juntos.
6. Hoy vino Joaquín y preguntó ______________ ti, yo pensé que no se conocían…
7. ¿Sabes ______________ quién me crucé ayer?
8. Mi compañero de trabajo se cayó ______________ la moto y ahora está en el hospital.
9. Estoy muy contenta ______________ mi nuevo trabajo, ¡me encanta!
10. ¿Hablaste ______________ la directora del colegio?
11. El autobús va a estar aquí ______________ quince minutos.

12. _____________ vez de ir a Colombia, ¿por qué no vamos a Venezuela?

13. _____________ lugar de ir a Colombia, ¿por qué no vamos a Venezuela?

14. ¡Debes dejar _____________ tomar tanto!

15. ¡Jésica siempre insiste _____________ hacer las cosas a su manera!

16. Estoy harta _____________ cocinar todas las noches...

17. ¿_____________ qué están pensando?

18. Ernesto dijo que va a casarse, ¿lo dice _____________ serio?

19. Eso es una broma _____________ mal gusto.

Expresiones comúnmente usadas con 'por'

<u>Por consiguiente:</u> en consecuencia.
No hiciste la tarea, por consiguiente, no vas a salir este fin de semana.

<u>Por eso:</u> consecuencia de lo expresado antes.
¡Eres muy bueno conmigo, por eso, te quiero tanto!

<u>Por desgracia:</u> lamentablemente.
Se rompió la pierna dos días antes de la competencia y por desgracia, no puede competir.

<u>Por lo visto:</u> aparentemente.
Tengo que ir a la oficina, hacer las compras, lavar la ropa y preparar la cena.
¡Por lo visto tienes un día muy ocupado!

<u>Por mi parte:</u> para mí.
Estamos pensando en organizar el evento de marketing el 2 de octubre.
Por mi parte, no habría problema. Puedo tener todo listo para esa fecha.

<u>Por lo menos:</u> como mínimo.
Tienes que llegar al aeropuerto, por lo menos, una hora antes del vuelo.

Por lo tanto: en consecuencia, por consiguiente.
El ladrón está dentro de la casa con dos rehenes, por lo tanto, debemos tener mucho cuidado antes de actuar.

Por supuesto: certeza en lo que se afirma.
¿Vas a votar en las próximas elecciones?
Por supuesto, es mi obligación como ciudadana.

Por las dudas: por si acaso, en caso de que algo pase.
Está nublado y hay mucho viento; lleva un paraguas por las dudas.

Por ahí: tal vez, quizá.
No sé si Joaquín viene o no. Dijo que por ahí venía.

Por ahora: por el momento.
Por ahora no hay novedades, todo sigue igual.

Por acá/por aquí: expresa movimiento
La oficina del Dr. Rossi está por acá, sígame por favor.

Por fin: al fin.
¡Por fin llegaste, tardabas dos minutos más y me iba!

Por lo general: generalmente, normalmente
Por lo general, trabajo de 8 a.m. a 6 p.m., pero esta semana trabajo hasta las 9 p.m.

Por poco: casi.
¡Nos quedamos dormidos y por poco perdemos el vuelo!

Por separado: individualmente.
Vamos a pagar por separado.

Por último: finalmente.
Le dije que lave la ropa, que la planche y que por último, que la guarde.

Escribe oraciones usando las expresiones con 'por'. Por lo menos, una con cada una.

SUBMIT FOR REVIEW

___

___

___

___

___

___

___

___

___

___

___

Completa los espacios en blanco con la expresión que mejor complete la oración.

1. ¿Cómo está Pablo? ______________________ *no hay novedades, los médicos dicen que su estado es estable.*
2. Si vas a una entrevista de trabajo, lleva tu cv ______________________ te lo piden.
3. Ganamos el partido. ______________________ perdemos, pero metimos dos goles en los últimos diez minutos.
4. ¡______________________! ¿Dónde te habías metido? ¡Hace dos horas te estamos buscando!
5. ¿Sabes dónde está Tomás? ______________________ *a esta hora ya está en casa.*
6. ¿Envuelvo la ropa? *Sí, por favor, son para regalo.* ¿Pagan todo junto o ______________________? ______________________, por favor.
7. ¡______________________ terminó esa película, no la aguantaba más!
8. Primero, quiero decirte que me molesta todo lo que haces; segundo, nunca limpias la cocina ni ordenas tu cuarto y ______________________ quiero avisarte que tienes hasta el lunes para buscar otra casa.

9. Voy a anotar la dirección del hotel ______________________ me pierdo.

10. La oficina del Dr. Lorenza está ______________________.

<u>*Escoge la expresión con 'por' apropiada.*</u>

1. ¿Venís a la fiesta? *No sé todavía,* _______________ *voy.*

2. ¿Querés tomar algo? *No gracias,* _______________ *no.*

3. No encuentro mis llaves, ¿vos las guardaste? *No, pero recién las vi* _______________.

4. ¿Vas a venir a mi cumpleaños? *Sí,* _______________ *te llamo, para saber dónde y cuándo es.*

5. ¡Cuidado, _______________ te atropella un auto!

6. Llamame y haceme acordar _______________ me olvido.

7. ¿Puedo invitar a mi novia a tu fiesta? _______________ *vení con quien quieras.*

8. Está nublado, parece que va a llover. _______________ lleva el paraguas.

9. ¿Viste mi cartera? *Sí, la vi* _______________ *, cerca de la mesa.*

Verbos que no llevan preposición en español

apagar	bajar	buscar	caerse	colgar
encender	pagar	pedir	querer	tachar

<u>*Escribe oraciones usando los verbos que no llevan preposición. Por lo menos, una con cada verbo.*</u>

SUBMIT FOR REVIEW

____

____

____

____

____

____

____

____

____

____

____

____

____

Completa los espacios en blanco con la preposición que corresponda.

1. ¿__________ qué trabajas?
2. ¿__________ qué hora es tu clase?
3. ¿__________ quién vive Tomás?
4. Llego __________ mi casa a las seis de la tarde.
5. Estela sale __________ la oficina a las siete en punto.
6. __________ menudo me encuentro con mis amigos.
7. __________ veces comemos con ellos.
8. ¿Quieres venir __________ cenar con nosotros hoy?
9. __________ Marina le gusta su trabajo.
10. ¿Le dijiste __________ Luis que su computadora no funciona?
11. Después de veinte años volví __________ fumar. ¡Qué cosa tan terrible!
12. Mis padres acaban __________ llegar del aeropuerto.

13. Estoy 100% __________________ acuerdo contigo.

14. Mi hermano sueña __________________ ser piloto de helicóptero.

15. ¿Confías __________________ mí?

16. Estoy pensando __________________ cambiar de trabajo.

Las preposiciones siempre son seguidas por infinitivo

Preposición	Ejemplo
Al	Al llegar, dormimos la siesta.
Antes de	Antes de empezar, quiero hablar contigo.
Con	Con llorar, no vas a solucionar nada.
Después de	Después de correr, tomé una ducha.
En lugar de	En lugar de discutir, ¿por qué no hablamos?
En vez de	En vez de mirar la tele, prefiero ir al cine.
Hasta	Omar habló hasta quedar dormido.
Sin	Se fue sin decir adiós.

Completa los espacios en blanco con las preposiciones, expresiones o frases preposicionales que corresponda. Puedes usarlas más de una vez.

A, ante, con, desde, en, entre, para, por las dudas, por, según, sin, sobre, tras, en lugar de, después de, al, antes de.

1. Voy __________________ estudiar psicología __________________ estudiar sociología.

2. __________________ los especialistas, los celos pueden ser patológicos.

3. Es mejor reservar un hotel __________________ llegar.

4. __________________ salir, debemos chequear si el avión llega con demora.

5. __________________ ponerte tan nervioso, no ganas nada.

6. __________________ ir a la montaña, vamos a ir a la playa.

7. Prefiero salir __________________ que nadie me vea, no quiero dar explicaciones.

8. __________________ cenar, fuimos a un concierto en el parque.

9. __________________ la menor duda, consulte a un médico.

10. Voy a llevar algo de efectivo __________________ no acepten tarjetas de crédito.

11. Nos conocemos __________________ que tenemos cinco años. Exactamente __________________ el año 1976.

12. No sé qué comer. Estoy __________________ una ensalada y una pizza.

13. Mi marido va a trabajar __________________ tres meses a Perú, estoy un poco triste porque lo voy a extrañar mucho. Pero es una muy buena oportunidad __________________ él.

14. ¡No hables __________________ saber qué fue lo que realmente sucedió, no es justo!

15. Ignacio es un buen padre, un buen ejemplo __________________ sus hijos.

Adverbios

Los adverbios modifican verbos, adjetivos u otros adverbios. A diferencia de los adjetivos, los adverbios no tienen ningún tipo de acuerdo en género y número con la palabra que modifican.

Por ejemplo:

Sebastián corre *rápidamente.*

El auto rojo es *muy* lindo.

Jazmín corre *rápidamente*.

Mi hija es *muy* buena.

Los adverbios pueden ser de:

- Tiempo: antes, después, pronto, etc.
- Lugar: aquí, allá, cerca, lejos, etc.
- Modo: bien, mal, despacio, etc.
- Comparación: más, menos, mucho, poco, etc.

Adverbios derivados

Los adverbios derivados de los adjetivos se forman agregando la terminación 'mente'. Si el adjetivo puede ser femenino y masculino, como, por ejemplo: *tranquilo/tranquila*; tomamos el adjetivo en su forma femenina y le agregamos 'mente': *tranquilamente.* Si el adjetivo es invariable, simplemente agregamos la terminación: *feliz/felizmente.*

Adjetivo	Forma femenina	Adjetivo invariable	Adverbio
Rápido	Rápida		Rápidamente
Perfecto	Perfecta		Perfectamente
Tranquilo	Tranquila		Tranquilamente
Verdadero	Verdadera		Verdaderamente
Cierto	Cierta		Ciertamente
Amable		Amable	Amablemente
Enorme		Enorme	Enormemente

Cuando dos o más adverbios que califican a la misma palabra se escriben juntos, solo el último lleva la terminación 'mente':

X El profesor habla tranquilamente y pausadamente.

✓ El profesor habla tranquila y pausadamente.

También podemos usar frases preposicionales (preposición + sustantivo) para usar como adverbios:

Con rapidez	rápidamente
Con velocidad	velozmente

Forma el adverbio y completa la oración con los siguientes adjetivos.

feliz/loco/perfecto/lento/simple/sincero/repentino/libre/rápido/fuerte.

1. Los estudiantes pintaron las paredes del colegio con aerosol y fueron castigados __________________________.
2. __________________________ el accidente fue solo un susto, no pasó nada.
3. Pero ¿qué pasó, por qué te echaron? *No sé,* __________________________ *me dijeron que no tengo que venir más.*
4. Tim me dijo que está __________________________ enamorado de mí.
5. La camioneta no tiene ruedas para la nieve así que estamos yendo muy __________________________.
6. __________________________ no te entiendo. Si te digo blanco, tú dices negro.
7. Me gusta ver a los animales correr __________________________ por el campo.
8. La policía reaccionó __________________________ y evitó un problema mayor.
9. El coro está listo para la ceremonia, todos cantan__________________________ bien.
10. __________________________ se levantó y salió de la casa.

Otros adverbios

Tipo	Adverbio	Frases adverbiales
De lugar	Aquí, acá, allí, allá, fuera, cerca, lejos	A la izquierda, a la derecha, etc.
De tiempo	Hoy, mañana, ayer, anteayer, temprano, tarde, ahora, siempre	De repente, de pronto, de vez en cuando, por la noche
De modo	Bien, mal, regular, despacio	Por las buenas, por las malas
De cantidad	Poco, mucho, algo, demasiado, solamente, bastante	Más o menos, como máximo, como mínimo
De afirmación	Sí, claro, efectivamente, también	Como no, por supuesto, desde luego
De negación	No, tampoco, nada, nunca	De ninguna manera, ni por casualidad
De duda	Quizá, posiblemente, probablemente	A lo mejor, por ahí, tal vez

Rellena los espacios con un adverbio o frase adverbial apropiada.

1. Estaba viendo la tele y ____________________ explotó el televisor.
2. Esto está ____________________, debes corregirlo.
3. ¿Vas a venir a la boda? *Creo que sí,* ____________________ *voy.*
4. No puedo estudiar para el examen, tengo mucho trabajo en la oficina. *Yo* ____________________ *puedo, mi mujer está enferma y me tengo que ocupar de los chicos.*
5. ¿Pueden darnos una mano? *¡____________________!*
6. No debes beber ____________________ si viniste con tu auto.
7. ¿Nos vemos el sábado? ____________________ *sí.*
8. Es mejor hacerlo ____________________.

9. Tengo ____________________ trabajo.

10. Pasó ____________________ tiempo, no creo que me recuerde.

11. ¿Vas a la reunión de padres hoy? *Sí,* ____________________ *sí.*

12. ¡Vas a estudiar por las buenas o ____________________!

El uso del artículo neutro 'lo'

El artículo neutro *lo* puede ser usado con un adjetivo (lo malo), un adverbio (lo bien) o con una cláusula con *que* (lo que prefiero es dormir).

En los ejemplos que vamos a ver a continuación, *lo*, puede significar *la cosa* o l*as cosas*:

No me gusta mucho *lo* dulce.	No me gustan mucho *las cosas* dulces.
Lo importante es aprender.	*La cosa* importante es aprender.
Lo que piensa es ridículo.	*La cosa* que piensa es ridícula.

En los ejemplos siguientes, *lo*, puede expresar intensidad y puede significar *cuán* o *qué*:

Te felicito por *lo bien* que hablas alemán.	¡Te felicito, *qué bien* que hablas alemán! ¡Te felicito, *cuán bien* hablas alemán!
Me sorprende *lo mal* que juega.	¡*Qué mal* que juega!
	¡*Cuán mal* juega!
Por *lo poco* que hizo, le va bastante bien.	¡*Qué poco* que hizo!
	¡*Cuán poco* hizo!

Uso de 'cuan'

'Cuan' es un adverbio que se usa para aumentar el grado o la intensidad de un adjetivo o de otro adverbio. Puede ser reemplazado por 'que' cuando se usa como exclamación.

¡Cuán lindo es!

Quiero comprarme esa billetera, pero no sé cuán cara es.

No sabemos cuán grande es el problema.

Completa las oraciones con una de las siguientes construcciones más el vocabulario dado cuando sea necesario.

lo + un adjetivo + que

lo + un adverbio + que

lo + que

Bueno, verde, mucho, increíble, molesto, inteligente, malo, peligroso, rápido, bien.

1. Paco es muy bueno y la gente se aprovecha de él.
   Sí, a mí me sorprende ______________________________ es.
2. No podemos comer la fruta porque está verde.
   Con ______________________________ está nos podemos enfermar.
3. Lucrecia habla mucho, no me cae muy bien.
   A mí me pone nerviosa por ______________________________ habla.
4. ¿Pensaste alguna vez en ______________________________ sería vivir como un millonario?
5. Estoy resfriada y no me siento muy bien.
   Yo estuve así la semana pasada y sé ______________________________ es.
6. Paola es muy inteligente.
   Con ______________________________ es me sorprende que no tenga trabajo.
7. ¿Por qué sigues fumando con ______________________________ es para tu salud?
8. ¿Por qué te mudaste a una ciudad tan grande? Todos saben ______________________________ es.
9. Mi marido tuvo un accidente, pero no me sorprende porque sé ______________________________ conduce.
10. ¿Sabías que Marcos es de Inglaterra?
    No, con ______________________________ habla español pensé que era de España.

Construcciones y expresiones para argumentar

El problema es que...

Lo que pasa es que...

Creo que...

Pienso que...

Me parece que...

Mi opinión es que...

Personalmente creo que ...

Para mí...

Desde mi punto de vista...Mi punto de vista es que...

Lee las siguientes ideas y responde usando una de las expresiones arriba mencionadas.

1. El dinero es lo más importante.

____

____

____

2. Los hombres y las mujeres son iguales.

____

____

____

3. Todos deberíamos ser vegetarianos.

____

____

____

4. Todos deberíamos dejar nuestros automóviles en casa e ir al trabajo en bicicleta o en un medio de transporte similar.

____

____

____

5. Las mujeres son más inteligentes que los hombres.

____

____

____

Conectores discursivos

Para relacionar ideas parecidas o agregar nuevas:

Además

De la misma forma/ manera

Encima

Es más

También

Y

Para contradecir:

Al contrario

A pesar de

Así y todo

Aunque

En cambio

Hasta ahora

No obstante

Pero

Por el contrario

Por otra parte

Por un lado/por el otro

Sin embargo

Tiempo y lugar:

Ahora

Antes

Después

En primer lugar

En último lugar

Eventualmente

Para empezar

Para terminar

Por último

De resumen o conclusión

Así

De este modo

En conclusión

En otras palabras

En resumen

Para concluir

De consecuencia:

Así que

Consecuentemente

De este modo

En consecuencia

Entonces

Por consiguiente

Por lo tanto

Porque

Pues

De semejanza:

Como

Del mismo/a modo/manera

Igualmente

De igual forma

Completa los espacios en blanco con los siguientes conectores y/o expresiones.

Aunque/por un lado/en cambio/pero/sin embargo/a pesar de/así que/por consiguiente/así/como/además/por otro lado/no tiene nada que ver/de hecho/hoy en día/actual/sin embargo/actualidad/por lo menos/actualmente

1. Mi amigo Ignacio no siempre me trata bien, ______________________, lo sigo queriendo.
2. Estaba lloviendo, ______________________ me quedé en casa.
3. ______________________ llovía, me quedé en casa.
4. Nicolás, ______________________ de ser bueno y honesto es muy trabajador.
5. ______________________, me gustaría trabajar en otro país, pero ______________________ tengo un poco de miedo de no poder acostumbrarme a vivir en un lugar tan diferente.
6. Yo viajaría antes de obtener el trabajo ______________________ si no te gusta el lugar puedes regresar sin causar problemas a nadie.
7. Los trabajadores han declarado un paro de veinticuatro horas, ______________________, no habrá actividad en la fábrica hasta mañana.
8. Juan salió ______________________ que le dijimos que no podía.
9. Mi hijo es muy tímido y reservado, ______________________, mi hija es completamente extrovertida.
10. Estaba enfermo, ______________________, fue a trabajar.
11. En la ______________________ hay muchos problemas con el desempleo.
12. El ______________________ jefe de gobierno no tiene carisma.
13. ______________________ la droga es un problema para todas las familias con hijos adolescentes.
14. Tengo que trabajar más esta semana, ______________________ me pagan las horas extras.

15. La empresa está creciendo mucho y necesitamos más empleados, ____________________, tenemos cinco entrevistas esta tarde.

16. ____________________ vivimos en la casa de mis padres.

17. Estás hablando sin sentido, eso no ____________________ con lo que yo estoy diciendo.

18. Quiero ir a visitar a mi familia este año, ____________________ no tengo dinero.

Usa las construcciones y expresiones para argumentar para escribir tus propias oraciones.

1. ____

2. ____

3. ____

4. ____

5. ____

6. ____

7. ____

8. ____

9. ____

10. ____

11. ______________________________

____

12. ______________________________

____

13. ______________________________

____

14. ______________________________

____

15. ______________________________

____

16. ______________________________

____

17. ______________________________

____

18. ______________________________

____

¿Qué piensas de la relación entre el peso y la estética? Escribe tu opinión. SUBMIT FOR REVIEW

____

____

____

____

____

____

____

____

____

____

____

REPASO

1. Cuando llegamos Lucas y Jazmín ya __________________ (irse).

2. Cuando fui a votar, ya __________________ (cerrar) los comicios.

3. A mí me gustan los dulces, __________________ a mi marido le gusta lo salado.

4. Empecé __________________ trabajar otra vez porque el sueldo de mi marido no es suficiente.

5. De joven soñaba __________________ ser policía.

6. Antes de __________________ (trabajar) aquí, había trabajado en un restaurante.

7. Lucrecia está completamente enamorada __________________ Luis.

8. ¡Tienes que dejar __________________ fumar de una vez!

9. Mi hijo está aprendiendo __________________ manejar. Pronto vamos a comprarle un auto.

10. Queremos ir a ver esa película nueva. *Nosotras* __________________, *¿podemos ir con ustedes?*

11. Extraño mucho a mi familia...siempre estoy pensando __________________ ellos.

12. ¡Nunca antes __________________ (ver/yo) algo así!

13. ¿Sigues __________________ arquitectura?

14. Nos encanta ayudar __________________ la gente que nos necesita, por eso comenzamos una fundación sin fines de lucro.

15. Queríamos ir a la playa, pero terminamos __________________ (ir) a la montaña. Era mucho más barato.

16. ¿__________________ viendo a los chicos del colegio? *Yo no los veo hace años...*

17. Me __________________ que Oscar tiene razón, pero esa es solo mi opinión.

18. Estaba un poco cansado de ser vegetariano y __________________ a comer carne.

19. Enrique y yo __________________ una copa de vino, pero no sabemos si tenemos tiempo.

20. ¡Me niego __________________ pagar esta factura!

21. __________________ contratando a un cocinero porque no tenía tiempo de cocinar.

22. Ese hombre habla tan pausada y __________________ que me pone un poco nervioso.

23. Estoy feliz por __________________ bien __________________ te va.

24. __________________ no sé qué decirte.

25. El baño está saliendo __________________.

26. Necesitamos ganar $5000 por mes __________________.

27. ¿Siempre comen comida italiana? *No,* __________________ . *Solo cuando mi mujer cocina algo especial.*

28. Ya ____________________________ (ver/futuro-nosotros).

29. No tienen trabajo, __________________, no pierden las esperanzas.

30. Cuando __________________ (tener/yo) veinte años, __________________ (vivir) cerca de la playa y siempre __________________ (ir) a correr con mi perro. Ahora __________________ (vivir) en una ciudad enorme y no __________________ (tener) más tiempo para correr. Mi perro __________________ (morir) hace cinco años. __________________ extraño mucho (a mi perro).

31. Me pregunto cuánto tiempo __________________ (haber/futuro) que esperar.

32. __________________ dijimos a los nuevos empleados que no pueden llegar tarde. (Objeto indirecto)

33. El profesor __________________ explicó a nosotros la misma lección cinco veces, pero todavía tenemos algunos problemas para entender__________________. (Objeto directo)

34. __________________ (por/para) hablar español, es necesario estudiar y practicar todos los días.

35. Te llamo __________________ (por/para) pedirte un favor.

36. ¿__________________ (venir/futuro) Juan? Estuvo enfermo toda la semana.

37. ¿Tienes tiempo __________________ (por/para) un café?

38. El médico me dijo que tengo que __________________ comer tanta azúcar.

39. ¿__________________ cuánto tiempo que trabajas en la misma compañía?

40. Trabajé __________________ (por/para) Oscar toda la semana. Estuvo muy enfermo.

41. Trabajé __________________ (por/para) la misma compañía __________________ (por/para) tres años. Ahora estoy retirado.

42. Cuando llegué a la casa de mi hermano ya __________________ (irse) una hora antes y no pude verlo.

43. Nos contaron que el nuevo documental es fascinante. Vamos a ir a ver__________________ el sábado con los chicos. (objeto directo o indirecto)

44. ¿Ya __________________ (estudiar) japonés antes de estudiar coreano?

45. ¿Comemos? __________________ *de comer.*

46. ¿Comemos? __________________ *comí.*

47. Iba a ir a México y __________________ yendo a Costa Rica.

48. Yo __________________ (poner/futuro) los nombres en una lista especial.

49. Tú __________________ (poder/futuro) hacerlo.

50. María __________________ (hacer/futuro) lo que sea necesario.

51. Nosotros te ________________ (decir/futuro) la verdad siempre.

52. Ellos ________________ (salir/futuro) el domingo por la mañana.

53. Yo ________________ (tener/futuro) los resultados para el jueves.

54. Algún día tú ________________ (saber/futuro) lo que pasó.

PARTE 5

Condicional simple

Verbos regulares

	Explicar	**Deber**	**Ir**
Yo	Explicar-ía	Deber-ía	Ir-ía
Vos/Tú	Explicar-ías	Deber-ías	Ir-ías
Él/Ella/Usted	Explicar-ía	Deber-ía	Ir-ía
Nosotros/as	Explicar-íamos	Deber-íamos	Ir-íamos
Vosotros/as	Explicar-íais	Deber-íais	Ir-íais
Ustedes/Ellos/Ellas	Explicar-ían	Deber-ían	Ir-ían

Como podemos observar, todas las terminaciones son iguales y se agregan al infinitivo.

Usos del condicional

Pedidos en forma respetuosa

Deseos

Para expresar una hipótesis

Estos pedidos, deseos e hipótesis pueden expresar una acción que haríamos ahora en el presente:

Comería una pizza.

Me iría de vacaciones ya mismo.

Dormiría la siesta ahora, pero tengo que trabajar.

O en el futuro:

¡Claro que aceptaríamos la propuesta!

Iría al fin del mundo contigo…

¿Viajarían con nosotros? *¡Sí, por supuesto que viajaríamos con ustedes! Sería muy divertido.*

Para expresar una conjetura de algo que sucedió en el pasado.

Te llamé a las tres de la tarde, pero nadie me respondió. *Estaría ocupada.*

Luca estaba pálido. *No te preocupes, estaría cansado.*

El condicional muchas veces sirve como una forma educada de pedir algo.

¿Podría cerrar la ventana, por favor?

¿Podría traerme la cuenta?

Yo querría un vaso de agua.

¿Qué les gustaría beber?

¿Qué le gustaría comer?

Escribe la forma apropiada del condicional.

1. ______________________ (deber/tú) fumar menos.
2. ¿______________________ (bailar/vos) conmigo?
3. ¿José ______________________ (probar) esta comida?
4. Nosotros ______________________ (viajar) ahora mismo.
5. Jamás te ______________________ (lastimar/yo).
6. ¿Les ______________________ (prestar) tu auto?
7. ¿Se ______________________ (comprar) ese vestido, ustedes?
8. ¿Les ______________________ (gustar) venir con nosotros?

9. ¿Me ____________________________ (dar/ustedes) una mano con esto?

10. ____________________________ (ir) contigo, pero tengo muchas cosas que hacer.

11. ¿____________________________ (casarse) con Daniela?

12. ¿Ustedes ____________________________ (comer) insectos?

Verbos irregulares

	Poner	**Poder**	**Decir***	**Hacer***
Yo	Pondría	Podría	Diría	Haría
Vos/Tú	Pondrías	Podrías	Dirías	Harías
Él/Ella/Usted	Pondría	Podría	Diría	Haría
Nosotros/as	Pondríamos	Podríamos	Diríamos	Haríamos
Vosotros/as	Pondríais	Podríais	Diríais	Haríais
Ustedes/Ellos/Ellas	Pondrían	Podrían	Dirían	Harían

Los verbos como "poner", pierden la vocal del infinitivo y agregan una "D" + la terminación del condicional **PON ~~E~~ DR-ÍA**

Verbos como "poner": salir, tener, valer, venir.

Conjuga el verbo SALIR.

Yo: ____________________________ Nosotros/as: ____________________________

Vos/Tú: ____________________________ Vosotros/as: ____________________________

Él/Ella/Usted: ____________________________ Ustedes/Ellos/as: ____________________________

Conjuga el verbo TENER.

Yo: ____________________________ Nosotros/as: ____________________________

Vos/Tú: ____________________________ Vosotros/as: ____________________________

Él/Ella/Usted: ____________________________ Ustedes/Ellos/as: ____________________________

Conjuga el verbo VALER.

Yo: ______________________ Nosotros/as: ______________________

Vos/Tú: ______________________ Vosotros/as: ______________________

Él/Ella/Usted: ______________________ Ustedes/Ellos/as: ______________________

Conjuga el verbo VENIR.

Yo: ______________________ Nosotros/as: ______________________

Vos/Tú: ______________________ Vosotros/as: ______________________

Él/Ella/Usted: ______________________ Ustedes/Ellos/as: ______________________

Los verbos como "poder" pierden la vocal del infinitivo y agregan la terminación del condicional POD ~~E~~ R ÍA.

Verbos como "poder": haber, querer, saber.

Conjuga el verbo QUERER.

Yo: ______________________ Nosotros/as: ______________________

Vos/Tú: ______________________ Vosotros/as: ______________________

Él/Ella/Usted: ______________________ Ustedes/Ellos/as: ______________________

Conjuga el verbo SABER.

Yo: ______________________ Nosotros/as: ______________________

Vos/Tú: ______________________ Vosotros/as: ______________________

Él/Ella/Usted: ______________________ Ustedes/Ellos/as: ______________________

***Como vemos en el cuadro, los verbos "decir" y "hacer" cambian su raíz.**

El verbo "haber" (hay en presente) en condicional es "habría" y tiene el mismo uso que en los demás tiempos verbales.

Cambia los verbos subrayados al condicional simple.

1. ¿Puedes llamar al banco y decirles que estoy en camino?

   ____

2. ¿Venís?

   ____

3. Quiero probarme el vestido azul.

   ____

4. ¿Tienen un vaso de agua?

   ____

5. Si vamos a ese restaurante hay que reservar antes.

   ____

6. ¿Visitan a sus padres en Alemania?

   ____

7. ¿Dicen una mentira por mí?

   ____

8. ¿Se corren de ahí? No puedo ver.

   ____

9. Vale la pena llamar y preguntar.

   ____

10. ¿Ponen ustedes los $30 pesos que faltan para llegar a $350?

    ____

Completa los espacios en blanco con el condicional simple.

1. La aerolínea anunció que el vuelo ________________ (llegar) retrasado.
2. Su madre les prometió que ________________ (tener) un perro.
3. El candidato a la presidencia declaró que todos ________________ (conseguir) trabajo.
4. Nadie pensaba que ________________ (aprobar) los exámenes.

5. Para no ser castigado, Teo prometió que nunca ____________________ (volver) a mentir.

6. El acusado juró que ____________________ (decir) la verdad en el juicio oral.

7. Nadie creía que se ____________________ (ir) para siempre y que nunca ____________________ (volver).

8. El marido prometió que ____________________ (ser) fiel el resto de su vida.

9. Las hijas le aseguraron que lo ____________________ (llamar) al llegar.

10. El instructor les aseguró que con esa actitud ____________________ (hacer) realidad todos sus sueños.

Escribe el verbo entre paréntesis en futuro y en condicional.

1. ¿____________________/____________________ (poder) ayudarme la semana próxima?

2. ¿Lo ____________________/____________________ (invitar/tú) a salir?

3. ¿____________________/____________________ (despedir/a Juan), ustedes?

4. ¿Les ____________________/____________________ (decir/ustedes) la verdad?

5. ¿____________________/____________________ (ir/tú) a China?

6. ____________________/____________________ (valer) la pena viajar.

7. ¿____________________/____________________ (venir/ustedes) con nosotros?

8. ¿____________________/____________________ (hacer/él) eso?

9. ¿Crees que Mónica ____________________/____________________ (aceptar) mi oferta?

10. ¿____________________/____________________ (poner/tú) esa cortina?

Escribe el verbo en futuro o condicional según tenga más sentido.

1. ¿______________________ (comprar/tú) un cohete?
2. ¿______________________ (ir/ustedes) a la boda de Pablo y Betina?
3. ¿______________________ (ir/tus padres) a la luna?
4. ______________________ (participar) en el maratón del sábado próximo.
5. ¿______________________ (ir/ellos) a una playa nudista?
6. ¿______________________ (acariciar/tú) a un león?
7. ¿______________________ (alquilar/ella) un castillo en Júpiter?
8. ______________________ (visitar/nosotros) Costa Rica en enero.
9. ______________________ (conducir/yo) un tanque de guerra.
10. ¿______________________ (venir) tus padres si los invito?

Conjuga el verbo dado en condicional y luego completa las oraciones con tus propias palabras.

SUBMIT FOR REVIEW

1. En tu lugar le______________ (decir) que ______________________ ______________________________________.
2. Yo que tú no ______________ (salir) con esa persona porque ____________ ______________________________________.
3. ¿Qué harías en mi lugar? Yo ______________ (hablar) con tu jefe y le ______________(explicar) lo que pasó así ______________________.
4. En su lugar no ______________ (pagar) la cuenta sin ______________ ______________________________________.

5. Si fuera él ______________________ (quejarse) con el director porque ________
____.

6. ¿Y tú, ¿qué ____________________ (hacer) en mi lugar? ____________________
____.

7. En su lugar ____________________ (estar) seguro antes de ___________________
____.

Responde las preguntas usando el condicional simple.

1. ¿Preparo una ensalada o prefieres una sopa? (preferir)
   Nosotros ____.
2. ¿Quieren agua o jugo de tomate? (beber)
   Yo ________________________________, pero Esteban ____________________
   ____.
3. ¿Pongo la mesa en el jardín? (poner)
   Creo que Juan la ____.
4. ¿Por qué no fue Pablo a la reunión? (estar)________________________ enfermo.
5. ¿Tenemos que salir ya? (deber/salir)
   Sí, _______________________ ahora si no queremos llegar tarde.
6. ¿Sabes si en Canadá todas las personas son bilingües? (saber)
   No, no _______________________ decirte.
7. ¿Van a venir todos el sábado? (poder)
   No _______________________ confirmarte en este preciso momento.

Escribe la forma apropiada del condicional.

1. ___________________ (deber/tú) ir al médico.
2. ¿___________________ (cenar/vos) conmigo?
3. ¿Ustedes ___________________ (probar) este trago?
4. Nosotros ___________________ (trabajar) sin descanso.

5. ¿Les __________________ (explicar) todo una vez más a ellos?

6. Nunca __________________ (lastimar/yo) a un animal.

7. ¿Me __________________ (prestar) dinero?

8. ¿Se __________________ (comprar) ese auto, ustedes?

9. ¿Les __________________ (gustar) viajar con nosotros?

10. ¿Me __________________ (dar/ustedes) una mano con esto?

La cultura

¿Qué es la cultura?

Una definición de cultura podría ser que es el conjunto de normas a través de las cuales una sociedad regula el comportamiento de las personas que la conforman.

Este sistema de normas, que condiciona nuestra mente y, por lo tanto, nuestra forma de actuar está compuesto por diferentes elementos: religión, valores, fiestas, comidas, moda, formas de pensar, trabajo, es decir, toda la información que una persona asimila de la sociedad en donde crece y vive.

¿Cuál es tu opinión en relación con los siguientes temas?

1. ¿Conoces otras culturas? ¿Cuál/es?
2. ¿Por qué la mayoría de las veces pensamos que nuestra cultura es la mejor?
3. ¿Consideras que hay culturas mejores que otras? ¿Por qué?
4. ¿Qué cosas buenas puedes decir de otras culturas?

☞ *Lectura*

Antes se vivía mejor...

Hay argumentos a favor y en contra de la tecnología, pero que nuestra vida ha cambiado con sus avances, no hay duda.

Hay personas que dicen que, por culpa de las computadoras, de los programas de comunicación instantánea, etc. hay menos contacto personal. No nos vemos con un amigo 'cara a cara' para tomar un café porque hablamos por la computadora. ¿Es verdad? ¿Nos encontramos menos con nuestros amigos porque usamos más la computadora o el celular?

Hay un argumento que dice que antes teníamos más tiempo para pensar en las cosas que eran realmente importantes. ¿La tecnología nos impide pensar? ¿Y qué son esas cosas importantes en las que no pensamos más?

Por otro lado, también leí en un blog que dice que no hay que ser un especialista en comunicación para afirmar que no hay mejor forma de hablar que personalmente. Sin embargo, hay gente que justamente porque tiene problemas para comunicarse, le es más fácil usar otro medio, ya sea, mensaje de texto, email o cualquier otro medio que no sea 'cara a cara'.

Personalmente, creo que la tecnología no afecta negativamente nuestras vidas. Las afecta, sí, pero de otra forma. Las cambia, las moldea, les da otra dinámica, pero no necesariamente para mal.

En todas las sociedades se producen cambios tecnológicos, eso no es nuevo, es inmanente al hombre, pienso.

Todos los cambios, a mi parecer, tienen aspectos negativos y positivos. Tratar de solucionar estos aspectos negativos debería ser nuestro objetivo.

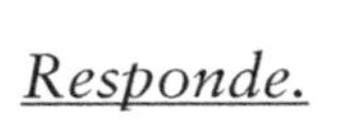

Responde. 

1. ¿Cuál es la idea general del texto?

2. La persona que escribió el texto, ¿está a favor o en contra de los avances de la tecnología?

3. Según el autor, ¿la tecnología afecta o no la forma en que vivimos?

4. ¿Coincides en que ya no pensamos en cosas importantes? ¿Cuáles son o podrían ser esas cosas importantes?

5. ¿Cuál es tu opinión, estás de acuerdo con el autor en términos generales? ¿Sí o no y por qué?

6. ¿A ti te gusta usar la tecnología? ¿Cuáles son los aparatos, aplicaciones y programas que más te gustan o los que más usas?

7. ¿Crees que podríamos prescindir de la tecnología?

Escribe una narración en pasado comparando cómo, según tu opinión, la vida cambió con el uso de la tecnología.

Pero, sino que, sino, si no

PERO es una conjunción adversativa.

Elemento afirmativo + PERO + elemento que contrasta o agrega información

El reloj es muy lindo + PERO + es carísimo.

Elemento negativo + PERO + elemento positivo

Rosa no es muy amable + PERO + es muy honesta.

SINO es una conjunción usada para contrastar una frase previamente dicha. Solo conecta palabras.

Elemento negativo + SINO + elemento que contradice el anterior

No queremos ir a Nueva York SINO a San Francisco.

No quiero comer manzanas SINO peras.

SINO QUE conecta cláusulas y, por lo tanto, hay dos verbos.

No van a aumentar los sueldos, sino que van a despedir a cincuenta personas.

No le dije que estaba enfermo, sino que me sentía muy cansado.

SI NO expresa condición.

Si no llegas a tiempo, vas a perder el tren.

Si no estudias, no aprendes.

Completa los espacios en blanco con 'pero, sino, sino que o si no' según corresponda.

1. Lucrecia es muy inteligente, _______________ a veces es muy vaga.
2. Mariano no es bombero _______________ policía.
3. Yo quiero viajar con ustedes, _______________ no tengo dinero.
4. No pedimos pollo _______________ carne.
5. Nunca vas a tener dinero _______________ ahorras.
6. La crisis no es solo económica _______________ también política.
7. No le regalé el libro, _______________ se lo presté por unos días.
8. _______________ puedes almorzar, avísame alrededor de las 11 a.m.
9. Julián no es muy simpático, _______________ para trabajar es muy bueno.
10. Mi perro es viejo, _______________ está siempre jugando.
11. No necesitamos que vengas, _______________ nos llames.
12. Empiecen sin mi _______________ llego antes de las nueve.
13. No dudamos de tu capacidad, _______________ nos sorprendió tu actitud.
14. La Tierra no es una estrella _______________ un planeta.

Pronombres relativos

> Los pronombres relativos unen o conectan partes de una misma oración y aportan información adicional.

Que

> Es el de uso más común. Puede referirse a personas o a cosas.

Esteban, que corre tan rápido, se quebró la pierna derecha.

El autobús en que viajan los niños no tiene cinturones de seguridad.

La casa que compré es una inversión.

La maestra, que nos enseña francés, es canadiense.

Juan, que es el nuevo camarero, rompió todos los vasos.

Quien/Quienes

> Solo se refiere a personas y generalmente va con una preposición. Cuando el verbo no está acompañado de una preposición y la oración tiene un artículo, usamos 'QUE' y no 'QUIEN'.

La persona de quien te hablé es mi madre.

El hombre con quien se casó, tiene sangre azul.

Las mujeres, con quienes viaja, son compañeras de trabajo.

El hombre ~~quien~~ que vino, era mi esposo.

Tomás y Sergio, quienes/que se gradúan mañana, son mis sobrinos.

El que/Los que/La que/Las que/El cual/La cual/Las cuales/Los cuales

> Con personas: se usan en lugar de 'que' cuando es preferible o necesario especificar el género (masculino o femenino) de una persona, o como una alternativa a 'preposición + quien (quienes)'.
>
> 'Cual' puede variar en género y número cambiando el artículo (la, el, las, los). No podemos omitir el artículo porque es parte del pronombre. Equivale a 'la que, el que, etc.'

El jugador de fútbol, del que (del cual/de quien) te hablé, juega en Barcelona.

La escritora, a la cual (a quien/a la que) conocí ayer, es la ganadora del premio.

Ramón tiene cuatro hijos, uno de los cuales, es compañero de mi hijo.

Con cosas: los usamos cuando van precedidos de una preposición.

Las acciones, en las cuales (en las que) invertí, subieron un 150% en menos de un año.

Marianela tiene que arreglar la bicicleta con la cual (con la que) va a competir en el triatlón.

El factor climático, en el cual confiamos para la toma de decisiones, está a nuestro favor.

El que, la que, los que, las que, quien y quienes pueden actuar como sujeto.

Quien (el que) no esté de acuerdo, que levante la mano.

Quienes (los que) no estén de acuerdo, que levanten la mano.

Quienes (las que) quieran tener el papel de Beatriz en la obra de teatro, inscríbanse en la audición antes del viernes.

Lo que/Lo cual

Son pronombres neutros y solo se usan para referirse a ideas o a acciones ya mencionadas. Significa: la cosa que.

Lo que usted dice, es muy importante.

Después de veinte años me recordó, lo cual me emocionó mucho.

Donde

Solo se usa para indicar el lugar.

El restaurante donde comimos anoche me encantó.

La universidad en donde estudiamos está en Alemania.

Cuya/Cuyo/Cuyas/Cuyos

Es un pronombre que denota posesión. Siempre concuerda con la posesión (cosa) y no con el poseedor (persona).

Es un escritor cuyos libros son incomprensibles.

Es un artista cuyas obras de arte son fantásticas.

El Sr. Piñeda es el director, cuyo objetivo es la buena conducta en la escuela.

La diputada, cuya ideología es extremista, terminó en problemas.

Completa los espacios en blanco con que, el que, los que, la que, las que, quien, quienes y donde.

1. El hombre ________________ estaba conmigo es el marido de Mónica.

2. Leticia es la maestra ________________ enseña inglés a los niños.

3. Las bananas ________________ están verdes no sirven para hacer el postre.

4. El médico con ________________ hablamos, nos dijo que hay un buen tratamiento disponible.

5. Jimena va a usar el vestido ________________ su madre usó cuando se casó con Oscar.

6. Esa es la mujer francesa ________________ le enseñó francés a mi hermana.

7. Llamamos a los arquitectos, con ________________ tuvimos la reunión la semana anterior.

8. Tomás, con ________________ toco la guitarra, que quebró un brazo.

9. La guitarra ________________ le costó tanto, se rompió en el viaje.

10. La foto con ________________ ganó el concurso de fotógrafos no profesionales, volvió a ganar esta mañana.

11. ¿Sabes quién canta la canción ________________ están pasando en la radio ahora?

12. Las hijas de mi jefe, ________________ vinieron ayer a la fiesta, son las tres abogadas.

13. Las personas a ________________ invitamos a participar en el evento, rechazaron la invitación.

14. El hospital ________________ nacieron mis hijos, se incendió esta tarde.

15. Los enfermos ________________ no podían moverse por sí solos, fueron rescatados justo a tiempo.

16. El hombre ________________ está sentado a mi derecha, hace ruidos muy extraños.

Completa los espacios en blanco con alguno de los pronombres relativos.

1. Esa campera __________________ tienes puesta es mía.

2. La casa en __________________ vivo, es de mis padres.

3. La persona de __________________ hablas, está de vacaciones.

4. Las secretarias __________________ jefes ya se fueron, pueden irse también.

5. Los relojes __________________ son de oro son muy caros, pero duran mucho tiempo.

6. Mi amigo __________________ tiene cinco hijos trabaja doce horas por día.

7. El televisor __________________ usted busca, no se fabrica más.

8. ¿Son ellos los niños __________________ padre es ingeniero?

9. ¿Fue Arturo __________________ te dijo que yo le mentí? *No, __________________ me lo dijo fue Ignacio.*

10. ¿Es ese el auto que quieres comprar? *No, __________________ quiero comprar es japonés.*

11. Los ladrones abrieron la caja fuerte dentro de __________________ estaba todo el dinero.

12. Este es el lugar en __________________ nos conocimos.

13. Mamá, ¿llegó papá? *No, __________________ llegó fue tu tía Elena.*

14. Los hombres fueron __________________ tuvieron miedo y huyeron.

15. Las construcciones viejas son __________________ me preocupan.

16. Son los malos alumnos __________________ escriben en las paredes.

17. ¿Tus padres son __________________ gritan por las noches? *¡No! __________________ gritan por las noches son los vecinos.*

Combina las dos oraciones dadas usando pronombre relativo.

1. Esteban lee un libro. Es muy aburrido.

   ____

2. Vimos a tres niños. Son los hijos de Patricia.

   ____

3. Compramos una revista. Es de economía.

   ____

4. Tienen ropa nueva. La diseñé yo.

   ____

5. Te hablé de una película. Se trata de la vida de un escritor.

   ____

6. Esos hombres están allí. Son los abogados de mi hermano.

   ____

7. Los alumnos tienen que venir a clase. Si no vienen no aprueban el curso.

   ____

8. La mujer cuida a mi abuela. Es de Madrid.

   ____

9. Perdió el reloj. Se lo regaló su padre.

   ____

10. Los estudiantes están aquí. Ellos van a dar una clase especial.

   ____

Reescribe las oraciones usando el pronombre relativo 'que, quien o quienes'.

SUBMIT FOR REVIEW

1. Hablamos con el arquitecto. Él está construyendo nuestra casa.

   ____

2. Nos encontramos con Oscar. No lo veíamos desde su graduación.

   ____

3. Ayer contratamos a un traductor nuevo. Te lo recomiendo.

   ____

4. El niño está con los Ramírez. Es su hijo menor.

____

5. Hay montañas en el límite entre Argentina y Chile. Es la cordillera de los Andes.

____

6. Leímos un libro en clase. No es muy interesante.

____

7. Estuvimos con los vecinos. Tienen problemas con la calefacción.

____

8. Martín es mi tío. Vino a traernos un regalo.

____

9. El hombre está disfrazado de vaca. Es mi primo.

____

10. Los profesores de biología están reunidos hace cinco horas. Quieren cambiar el programa.

____

11. La cantante de esta canción es venezolana. Tiene 89 años.

____

12. El autor escribió esta novela. Escribió una sola en toda su vida.

____

13. El ingeniero trabaja conmigo. Tiene un hermano gemelo.

____

14. Las personas vienen al congreso de filosofía. Tienen que confirmar su presencia en forma anticipada.

____

Combina las oraciones usando los pronombres: el que, los que, la que, las que.

1. Mis primos viven en Florida. Van a venir a visitarnos para Navidad.

   ____

2. Ernesto y Mónica viven en una casa. La casa está a orillas de un lago.

   ____

3. Te llamo por un tema. El tema es muy importante.

   ____

4. Nos hospedamos en un hotel. El hotel estaba en el medio del bosque.

   ____

5. Voté por el candidato. El candidato protege los derechos de los trabajadores.

   ____

6. Ignacio nos prestó un libro. El libro fue escrito por su padre.

   ____

7. Tenemos que tomar el autobús 45. El autobús es de color azul.

   ____

8. Los presidentes se reunieron en Río de Janeiro. Los presidentes buscan un acuerdo en la política económica.

   ____

9. Me comentaste sobre una película. La película fue censurada.

   ____

10. Las máquinas son peligrosas. Las máquinas mezclan insecticidas.

    ____

Completa las oraciones usando los pronombres: cuyo, cuyos, cuya y cuyas.

1. La niña, ____________ madre es profesora, habla tres idiomas.
2. Este es el periodista ____________ artículos se publican en más de tres idiomas.
3. Las personas, ____________ facturas están vencidas, tendrán que pagar un recargo del 25% sin excepción.

4. Las cartas ____________________ origen sea dudoso, no serán leídas.

5. Los empleados, ____________________ jefes autorizaron un aumento de sueldo, lo recibirán a partir de enero.

El motivo por el cual/La razón por la cual

Ayer llegué tarde y ese es EL MOTIVO POR EL CUAL/LA RAZÓN POR LA CUAL hoy debo quedarme hasta más tarde.

EL MOTIVO POR EL CUAL y LA RAZÓN POR LA CUAL expresa un 'porqué'.

Ese es el motivo o esa es la razón = el porqué.

Se puede reemplazar por: "Ese es el porqué."

El 'porqué' es un sustantivo masculino.

Escribe 5 oraciones usando 'el motivo por el cual/la razón por la cual/el porqué.

SUBMIT FOR REVIEW

____

____

____

____

____

____

____

____

____

____

____

☞ ***Revisión***

¿Ser o estar?

Completa los espacios en blanco usando ser o estar en infinitivo, presente, pretérito perfecto, indefinido, imperfecto o pluscuamperfecto, futuro o condicional.

1. Marisa no __________________ ayer en la oficina porque __________________ su día libre.
2. Eso de lo que estás hablando, ¿__________________ hace dos años?
3. Cuando llegamos __________________ de noche.
4. ¿Qué día __________________ hoy?
5. ¿Dónde te gustaría __________________ ahora?
6. ¿Qué quieres __________________ cuando seas grande?
7. Mi padre __________________ muy nervioso, pero ha cambiado mucho en los últimos años.
8. Tenemos que __________________ de pie porque no hay suficientes sillas en la sala.
9. __________________ (nosotros) de acuerdo contigo, pero ya no lo __________________. Los cambios en tu discurso no nos convencen.
10. Yo crecí en este lugar. Acá __________________ la casa y más allá había un árbol de manzanas. __________________ un barrio muy tranquilo, nada que ver a lo que __________________ ahora.

Adjetivos que cambian su significado según vayan con ser o estar. Completa con el tiempo que corresponda.

1. Mi jefe _______________ muy atento, todo un caballero.
2. Debes _______________ atento en clase si quieres aprobar el examen.
3. _______________ lista, ¿vamos?
4. _______________ muy lista, no puedes engañarme.

5. Leticia _______________ muy viva, siempre consigue lo que quiere.

6. _______________ viva después de ese accidente, ¡es un milagro!

7. Disculpe, _______________ perdido, ¿podría decirme cómo llegar a la avenida Maipú?

8. No quiero que estés con Ariel. Ese chico _______________ un perdido.

9. El banco ya _______________ cerrado, tenemos que regresar mañana.

10. ¿Por qué _______________ tan cerrado? Deberías _______________ más abierto con la gente, ¡todos te querrían mucho más!

11. ¿Todavía _______________ despierto? ¡Debes ir a dormir ya mismo!

12. Julián _______________ muy despierto para su edad.

13. _______________ seguro de que tengo razón.

14. No _______________ una persona muy segura y eso me trae problemas en el trabajo.

15. ¡Qué lindo lugar! No hay ruidos, _______________ muy tranquilo.

16. Ana, tienes que _______________ tranquila para poder pensar mejor.

Completa los espacios en blanco con el tiempo en pasado que mejor complete la oración.

1. La última vez que ____________________________ (ir/yo) a España ____________________________ (visitar) muchos pueblos y ciudades. Ya ____________________________ (ir) a Europa varias veces, pero nunca ____________________________ (viajar) tanto. ____________________________ (tener) unos años menos que ahora. En ese momento todavía no ____________________________ (conocer) a Teresa. A ella la ____________________________ (conocer) cuando ____________________________ (llegar) de ese viaje. ____________________________ (ser) gracias a ella que ____________________________ (conseguir) ese trabajo que tanto me ____________________________ (gustar).

2. Cuando Manuel y yo ____________________________ (trabajar) en esa compañía la ____________________________ (pasar) muy bien siempre. Nuestro jefe ____________________________ (ser) genial. Siempre ____________________________ (estar) de buen humor, nos ____________________________ (invitar) a comer y ____________________________ (tener) charlas como si fuéramos amigos. Después de un tiempo, a mi jefe le ____________________________ (dar) un ascenso y todo ____________________________ (ser) de mal en peor porque la persona que ____________________________ (pasar) a ser nuestro nuevo jefe ____________________________ (ser) horrible. Todos los días ____________________________ (estar) de mal humor, siempre ____________________________ (sentirse) mal, ____________________________ (estar) enfermo, todo le ____________________________ (molestar). Por eso después de un tiempo yo ____________________________ (decidir) renunciar y poco después a Manuel lo ____________________________ (despedir) por discutir con nuestro nuevo jefe en repetidas ocasiones.

3. El 14 de diciembre de 1984 mi abuela ____________________________ (decidir) comprar un barco. Mi abuelo ____________________________ (pensar) que ella ____________________________ (volverse) loca y ____________________________ (tomar) la decisión de separarse después de cincuenta años de casados. A mi abuela mucho no le ____________________________ (importar) y ____________________________ (irse) a navegar por el mundo con un novio que ____________________________ (conocer) antes de separarse de mi abuelo, pero en ese momento ____________________________ (ser) solo amigos. Cuando mi abuelo la ____________________________ (dejar) ella ____________________________ (pensar) que ____________________________ (poder) tener una nueva oportunidad en el amor.

Completa los espacios en blanco con para o por.

1. Desde hace unos días tengo dolores de cabeza ____________________________ la mañana cuando me despierto.

2. ____________________________ hacer ese postre se necesitan como quince huevos.

3. No todo el mundo se mueve solo ____________________________ interés. Hay buenas personas en el mundo también.

4. Supe lo que pasó ____________________________ mi madre. Ella me llamó y me contó todo ____________________________ teléfono.

5. ¿Que hay en la nevera ____________________________ comer?

6. Vamos a viajar a Ecuador ____________________________ mejorar nuestro español. La profesora nos dijo que ____________________________ haber estado estudiando ____________________________ tres años hablamos bastante mal.

7. ____________________________ mí, lo más difícil de todo es saber cuando usar para o por. ____________________________ Juan lo más difícil es la pronunciación.

8. Dos ____________________________ dos son cuatro.

9. En este asiento hay lugar ____________________________ una persona más.

10. Joaquín se olvidó las llaves y entró ____________________________ la ventana.

11. ¿________________________ dónde viniste? Yo tomé el mismo camino y no te vi.

12. ¿Te casas conmigo ____________________________ dinero o ____________________________ amor?

13. ____________________________ conseguir un buen trabajo hay que ser muy responsable.

14. Salen ________________________ Miami el domingo ________________________ la tarde. *¿Van* ________________________ *trabajo o* ________________________ *placer?*

REPASO

1. Yo ___________________ (ir/futuro) al seminario la semana que viene.

2. Me pregunto si ___________________ (hacer/futuro) frío.

3. ¿___________________ (salir/él/condicional) con María?

4. ¿___________________ (salir/tú) conmigo el sábado?

5. ___________________ (salir/nosotros/futuro) juntos el domingo.

6. La televisión ___________________ (deber/condicional) tener más programas educativos.

7. Reservé una mesa para las ocho pero cuando llegaron me dijeron que ya ___________________ (comer/ellos).

8. Estoy seguro de que la película ___________________ (encantar/a ti/condicional).

9. ¿Te ___________________ (gustar/condicional) conocer a mi novio? *¡Me ________________ (encantar/condicional)!*

10. ___________________ (gustar/a ti/ futuro) verme.

11. ___________________ (gustar/a ti/condicional) verme.

12. ___________________ (tener/tú) que estudiar más. No hay otra opción.

13. ___________________ estudiar más si quieres ser admitido en una universidad con buena reputación.

14. ¿___________________ contaste a Enrique la verdad? (objeto directo/indirecto)

15. ¿Cuáles ___________________ (ser/condicional) los beneficios de este programa?

16. ¿Cuáles ___________________ (ser/futuro) los beneficios de este programa?

17. No ___________________ (tener/yo) tiempo de terminar el informe a tiempo, ¡la semana pasada fue de locos!

18. Nunca ____________________ (tener/yo) tiempo de terminar los informes. Todos los días eran una locura, pero ahora que contrataron a otra persona puedo terminar siempre todas mis tareas.

19. Para mí, las escuelas ____________________ (deber/condicional) ser más exigentes.

20. La escuela ha sido destruida ____________________ (por/para) el tornado.

21. ¿____________________ dices a tus padres que ____________________ amas seguido? (objeto directo/indirecto)

22. ¿____________________ dices a Juan por favor que quiero hablar con él? (objeto directo/indirecto)

23. ¿____________________ pediste permiso a tus padres? (objeto directo/indirecto)

24. ¿Escribió el informe que le pedí? *Por ____________________, aquí lo tiene.*

25. Soy una mujer responsable, razón ____________________ no puedo aceptar su propuesta.

26. ____________________ perdemos el vuelo. Hubo un accidente y había mucho tráfico.

27. ¡Es el mejor libro ____________________ leí en toda mi vida!

28. ¡No puedes estar ni un minuto ____________________ hablar!

29. Él es Otto, en ____________________ casa viví por más de cinco meses cuando estuve en Alemania.

30. Estoy ____________________ de la libre circulación de las personas, pero Manuel está ____________________.

31. ¡____________________ grande está tu hija!

32. La mujer ____________________ conociste ayer, trabaja en una organización que ayuda a personas con problemas económicos.

33. Esa es la mujer con ____________________ trabajo. No me cae nada bien.

34. Ella es Mariana, la chica de ____________________ te hablé.

35. Ramiro, __________________ hijos van al colegio con Andrés, me invitó a salir.

36. Lo vi a Lucas y estaba esperando sin __________________ (saber) qué hacer.

37. Voy a trabajar sin __________________ (parar).

38. Sí mamá, __________________ llegar, te llamo.

39. __________________ reaccionar así, lo único que ganas es que la gente se aleje.

40. Este es el proyecto por __________________ dejé todo y perdí todo.

41. __________________ quejarte de lo injusto que es el mundo, ¿por qué no haces algo por mejorarlo?

PARTE 6

¿Qué haces en tu tiempo libre?

Lectura

No tengo momentos de ocio.

Raquel y María Sol son amigas desde que tienen cinco años. Se conocieron en la escuela primaria y estudiaron juntas hasta la universidad. Después Raquel se casó y se mudó de ciudad. Hoy se vuelven a ver al cabo de cuatro años.

R: ¿Cómo es eso de que no tienes un momento de ocio?

MS: Y no...La vida en esta ciudad no es fácil. Hay una tasa de desempleo del 14%, la inflación consume todo mi dinero y por esta razón tengo que trabajar de lunes a lunes.

R: ¡Por lo menos tienes dos trabajos! Hay mucha gente desocupada.

MS: Sí, pero eso no es un consuelo...No tengo tiempo para hacer nada. Me despierto a las cinco de lunes a sábado, me visto, salgo para el trabajo. Ahí estoy por seis horas. A la una salgo para el otro trabajo. Mi horario es de dos a ocho, pero siempre me quedo hasta las nueve.

R: ¿Te pagan las horas extras?

MS: ¡Ojalá! No, no me pagan nada extra...

R: Primero de todo, yo <u>te recomiendo que sigas</u> buscando trabajo.

MS: ¡Hace meses que estoy buscando trabajo!

R: Si me permites darte otro consejo, <u>te sugiero que hagas</u> algo de ejercicio, aunque sea media hora al día.

MS: Pero ¿cuándo? ¡Llego muerta a casa!

R: ¿Sigues fumando?

MS: ¡Sí, ahora mucho más!

R: ¡Qué lástima! <u>Te aconsejo que te hagas</u> estudios médicos. La vida que estás teniendo, puede traerte problemas muy serios de salud.

MS: Mi vida está más tranquila que nunca.

R: Sedentarismo, tabaquismo y estrés, ¿eso es una vida tranquila?

MS: Sí, tienes razón, probablemente siga tus consejos.

R: Yo solo quiero que estés bien, estoy preocupada por ti.

MS: Sí, lo sé. No te preocupes, voy a estar bien.

Responde las siguientes preguntas.

1. ¿Qué le recomienda Raquel a su amiga?

   ____

2. ¿Qué sugerencia le da?

   ____

3. ¿Qué le aconseja que haga y por qué?

   ____

4. ¿Por qué Raquel se preocupa tanto por su amiga?

   ____

El modo subjuntivo. Presente

> El modo subjuntivo es el modo de la subjetividad, de la duda, del mandato, de los consejos y de los sentimientos.

Si decimos:

Ayer llovió.

La radio dice que llueve.

El pronóstico del tiempo dice que lloverá todo el fin de semana.

Estamos relatando algo REAL, que sucedió, que sucede ahora o que va a suceder en el futuro.

> **No hay subjetividad en el verbo 'decir'.**
> Pero si la persona que habla expresa duda, incertidumbre o da un consejo, entonces debemos usar el subjuntivo.

Por ejemplo:

Raquel aconseja a María Sol que busque otro trabajo.

En el ejemplo tenemos:

- Dos sujetos: Raquel y María Sol.
- Raquel 'aconseja', refleja cómo se siente, expresa lo que ella cree que es mejor para su amiga (María Sol).
- La primera parte de la oración está en presente del indicativo, 'aconseja' y la segunda en presente del subjuntivo, 'busque'.

Lo que Raquel aconseja, no es un hecho o una descripción de la realidad. Si María Sol va a seguir o no su consejo, no lo sabemos, por eso la segunda parte está en subjuntivo.

Estas dos partes de la oración, unidas por la palabra "que" son dos tipos de cláusulas. La cláusula independiente (la que está en indicativo) y la cláusula dependiente (que está en subjuntivo).

Tal como dijimos antes, el modo subjuntivo expresa subjetividad como: deseos, sentimientos, emociones, consejos, etc.

La cláusula independiente determina el modo de la cláusula dependiente. Veamos el siguiente ejemplo:

a) El médico dice que Ana está enferma. (indicativo-indicativo)

b) La madre de Ana no cree que su hija esté enferma. (indicativo-subjuntivo)

En la oración "a", el verbo "dice" (decir) no plantea subjetividad. Si el médico "dice" algo, lo afirma, no hay duda. En cambio, en la segunda oración, "no cree" no hay afirmación alguna y por eso la cláusula dependiente va en subjuntivo.

Formación del presente del subjuntivo

Verbos terminados en AR como TOLERAR:

Para conjugar el presente del subjuntivo, tenemos que referirnos a la primera persona del singular del presente del indicativo:

YO TOLER-O

Para los verbos terminados en 'ar', cambiamos la O por la E: ⇨ YO TOLERE

Pronombre personal	Tolerar
PRESENTE DEL INDICATIVO	
Yo	TOLER-~~O~~
PRESENTE DEL SUBJUNTIVO	
Yo	TOLER-E
Tú/Vos	TOLER-ES
Él/Ella/Usted	TOLER-E
Nosotros/as	TOLER-EMOS
Vosotros/as	TOLER-ÉIS
Ustedes/Ellos/as	TOLER-EN

Conjuga el verbo manejar.

Yo: ____________________

Vos/tú: ____________________

Él/ella/usted: ____________________

Nosotros/as: ____________________

Vosotros/as: ____________________

Ustedes/ellos/as: ____________________

Verbos terminados en ER como APRENDER:

Para conjugar el presente del subjuntivo, tenemos que referirnos a la primera persona del singular del presente del indicativo:

YO APREND-O

Para los verbos terminados en 'er', cambiamos la O por la A: ⇨ YO APRENDA

Pronombre personal	Aprender
PRESENTE DEL INDICATIVO	
Yo	APREND-~~O~~
PRESENTE DEL SUBJUNTIVO	
Yo	APREND-A
Tú/Vos	APREND-AS
Él/Ella/Usted	APREND-A
Nosotros/as	APREND-AMOS
Vosotros/as	APREND-ÁIS
Ustedes/Ellos/as	APREND-AN

Conjuga el verbo comprender.

Yo: ______________________

Vos/tú: ______________________

Él/ella/usted: ______________________

Nosotros/as: ______________________

Vosotros/as: ______________________

Ustedes/ellos/as: ______________________

Verbos terminados en IR como TRANSMITIR:

Para conjugar el presente del subjuntivo, tenemos que referirnos a la primera persona del singular del presente del indicativo:

YO TRANSMIT-O

Para los verbos terminados en 'ir', cambiamos la O por la A: ⇨ YO TRANSMITA

Pronombre personal	Transmitir
PRESENTE DEL INDICATIVO	
Yo	TRANSMIT-~~O~~
PRESENTE DEL SUBJUNTIVO	
Yo	TRANSMIT-A
Tú/Vos	TRANSMIT-AS
Él/Ella/Usted	TRANSMIT-A
Nosotros/as	TRANSMIT-AMOS
Vosotros/as	TRANSMIT-ÁIS
Ustedes/Ellos/as	TRANSMIT-AN

Conjuga el verbo admitir.

Yo: ____________________ Nosotros/as: ____________________

Vos/tú: ____________________ Vosotros/as: ____________________

Él/ella/usted: ____________________ Ustedes/ellos/as: ____________________

Es usado en cláusulas dependientes, cuando en la cláusula principal se expresan consejos y sugerencias:

Te aconsejo que no vengas tarde porque no vas a poder entrar.

Les recomiendo que tomen asiento porque hay una espera de más de dos horas.

Alejandro sugiere que reservemos por teléfono antes de ir.

Los verbos terminados en GER y GIR:

	PROTEGER	DIRIGIR
Presente indicativo	*PROTEJ-O*	*DIRIJ-O*
Presente subjuntivo		
YO	PROTEJ-A	DIRIJ-A
VOS/TÚ	PROTEJ-AS	DIRIJ-AS
ÉL/ELLA/USTED	PROTEJ-A	DIRIJ-A
NOSOTROS/AS	PROTEJ-AMOS	DIRIJ-AMOS
VOSOTROS/AS	PROTEJ-ÁIS	DIRIJ-ÁIS
USTEDES/ELLOS/AS	PROTEJ-AN	DIRIJ-AN

Verbos como proteger: encoger, escoger, desproteger.

Verbos como dirigir: fingir, restringir, sumergir.

Completa los espacios en blanco con el presente del subjuntivo.

1. La profesora sugiere a los alumnos que _________________ (estudiar) más.
2. El médico me aconseja que no _________________ (olvidar) tomar los medicamentos tres veces por día.
3. Yo te recomiendo que _________________ (entrenar) más horas al día si quieres ganar la carrera.
4. Los maestros de escuela les sugieren a los padres que no _________________ (permitir) ver tanta televisión a sus hijos.
5. Los psicólogos recomiendan que las personas _________________ (expresar) sus sentimientos libremente.
6. La nota sugiere que _________________ (beber/nosotros) más líquido durante las épocas de altas temperatura y que no _________________ (pasar) muchas horas al sol.

7. Te aconsejamos que no __________________ (mudarse) a ese pueblo porque está muy alejado de todo.

8. Si eres alérgico al pescado, te sugiero que no __________________ (comer) esa ensalada porque tiene un poco de atún.

9. Mi jefe me aconseja que __________________ (trabajar) más duro si quiero un aumento de sueldo.

10. Te recomiendo que __________________ (leer) el artículo sobre 'educación' que está en el periódico de hoy, es muy interesante.

11. Los psiquiatras recomiendan que los pacientes con problemas de depresión __________________ (tomar) antidepresivos.

12. El entrenador nos sugiere que __________________ (correr) una hora por día.

13. El electricista sugiere que __________________ (cambiar/yo) toda la instalación eléctrica.

Verbos terminados en GUIR:

	DISTINGUIR	EXTINGUIR
Presente indicativo	*DISTING-O*	*EXTING-O*
Presente subjuntivo		
YO	DISTING-A	EXTING-A
VOS/TÚ	DISTING-AS	EXTING-AS
ÉL/ELLA/USTED	DISTING-A	EXTING-A
NOSOTROS/AS	DISTING-AMOS	EXTING-AMOS
VOSOTROS/AS	DISTING-ÁIS	EXTING-ÁIS
USTEDES/ELLOS/AS	DISTING-AN	EXTING-AN

Espero que los bomberos extingan el fuego pronto.

Espero que mis hijos distingan las buenas de las malas compañías.

Verbos terminados en CER:

	EJERCER	VENCER
Presente indicativo	*EJERZ-O*	*VENZ-O*
Presente subjuntivo		
YO	EJERZ-A	VENZ-A
VOS/TÚ	EJERZ-AS	VENZ-AS
ÉL/ELLA/USTED	EJERZ-A	VENZ-A
NOSOTROS/AS	EJERZ-AMOS	VENZ-AMOS
VOSOTROS/AS	EJERZ-ÁIS	VENZ-ÁIS
USTEDES/ELLOS/AS	EJERZ-AN	VENZ-AN

Verbo como ejercer: convencer.

El presidente espera que sus tropas venzan al enemigo.

Verbos con cambios en la raíz:

Verbos con cambios en la raíz repiten los cambios del presente del indicativo

PENSAR

Presente del indicativo ⇨	Yo	PIENSO
Presente del subjuntivo	Yo	PIENSE
	Tú/Vos	PIENSES
	Él/Ella/Usted	PIENSE
	Nosotros/as	PENSEMOS
	Vosotros/as	PENSÉIS
	Ustedes/Ellos/as	PIENSEN

CERRAR

Presente del indicativo ⇨	Yo	CIERRO
Presente del subjuntivo	Yo	CIERRE
	Tú/Vos	CIERRES
	Él/Ella/Usted	CIERRE
	Nosotros/as	CERREMOS
	Vosotros/as	CERRÉIS
	Ustedes/Ellos/as	CIERREN

PODER

Presente del indicativo ⇨	Yo	PUEDO
Presente del subjuntivo	Yo	PUEDA
	Tú/Vos	PUEDAS
	Él/Ella/Usted	PUEDA
	Nosotros/as	PODAMOS
	Vosotros/as	PODÁIS
	Ustedes/Ellos/as	PUEDAN

ENTENDER

Presente del indicativo ⇨	Yo	ENTIENDO
Presente del subjuntivo	Yo	ENTIENDA
	Tú/Vos	ENTIENDAS
	Él/Ella/Usted	ENTIENDA
	Nosotros/as	ENTENDAMOS
	Vosotros/as	ENTENDÁIS
	Ustedes/Ellos/as	ENTIENDAN

DORMIR

Presente del indicativo ⇨	Yo	DUERMO
Presente del subjuntivo	Yo	DUERMA
	Tú/Vos	DUERMAS
	Él/Ella/Usted	DUERMA
	Nosotros/as	DURMAMOS
	Vosotros/as	DURMÁIS
	Ustedes/Ellos/as	DUERMAN

Otros verbos irregulares. Completa la tabla con el presente del subjuntivo.

	VOLAR	**DEVOLVER**	**CAER**	**HACER**	**TENER**
Pres. indicativo	*VUELO*	*DEVUELVO*	*CAIGO*	*HAGO*	*TENGO*
Yo					
Tú/Vos					
Él/Ella/Usted					
Nosotros/as					
Vosotros/as					
Ustedes/Ellos/as					

Completa los espacios en blanco con el presente del subjuntivo.

1. No quiero que tú ____________________ (pensar) que soy egoísta.
2. Nos sugiere que ____________________ (pedir/nosotros) un informe financiero.
3. Espero que los niños ____________________ (dormir) toda la noche.
4. No quiero que nos ____________________ (incluir/ustedes) en la lista.

Completa los espacios en presente del subjuntivo con las formas 'yo' y 'nosotros'.

	YO	NOSOTROS
1. Entender	______	______
2. Calentar	______	______
3. Mentir	______	______
4. Comenzar	______	______
5. Contar	______	______
6. Poder	______	______
7. Pensar	______	______
8. Dormir	______	______
9. Morir	______	______
10. Querer	______	______

Verbos terminados en CAR, GAR y ZAR

Para estos verbos hay que recurrir al pretérito indefinido (la primera persona del singular, yo).

	BUSCAR	APAGAR	ACTUALIZAR
Pretérito indefinido	*BUS-QUÉ*	*APA-GUÉ*	*ACTUALI-CÉ*
Presente del subjuntivo			
YO	BUS-QUE	APA-GUE	ACTUALI-CE
VOS/TÚ	BUS-QUES	APA-GUES	ACTUALI-CES
ÉL/ELLA/USTED	BUS-QUE	APA-GUE	ACTUALI-CE
NOSOTROS/AS	BUS-QUEMOS	APA-GUEMOS	ACTUALI-CEMOS
VOSOTROS/AS	BUS-QUÉIS	APA-GUÉIS	ACTUALI-CÉIS
USTEDES/ELLOS/AS	BUS-QUEN	APA-GUEN	ACTUALI-CEN

Verbos como buscar: dedicar, modificar, clarificar, comunicar.

Verbos como apagar: arriesgar, arrugar, castigar, conjugar.

Verbos como actualizar: adelgazar, agonizar, tapizar, cotizar.

Verbos que no siguen ninguna regla:

	DAR	ESTAR	IR	SABER	SER
Yo	DÉ	ESTÉ	VAYA	SEPA	SEA
Tú/Vos	DES	ESTÉS	VAYAS	SEPAS	SEAS
Él/Ella/Usted	DÉ	ESTÉ	VAYA	SEPA	SEA
Nosotros/as	DEMOS	ESTEMOS	VAYAMOS	SEPAMOS	SEAMOS
Vosotros/as	DEIS	ESTÉIS	VAYÁIS	SEPÁIS	SÉAIS
Ustedes/Ellos/as	DEN	ESTÉN	VAYAN	SEPAN	SEAN

Es también usado en cláusulas dependientes cuando la cláusula principal expresa órdenes, permisos y pedidos.

¡Exijo que me devuelvan el dinero!

Les pido que dejen todo ordenado antes de irse.

Te suplico que no me dejes sola.

Les ruego que vengan conmigo.

No quiero que te dejes convencer por sus mentiras.

Te autorizo a que ingreses a mi oficina.

Como vemos en estos ejemplos, aquí también hay dos cláusulas:

la independiente [persona + verbo que expresa orden/permiso/pedido en presente del indicativo]

unidas por la palabra 'que'

la dependiente [otra persona diferente + verbo en presente del subjuntivo]

Completa las oraciones.

1. Te pido que me __________________ (ayudar).
2. Les pido que no lo __________________ (molestar).
3. Te pide que __________________ (llegar) más temprano.
4. Les pedimos que se __________________ (organizar) mejor.
5. Horacio nos pide que no __________________ (hacer) tanto ruido.
6. Nos exige que le __________________ (devolver) su dinero.
7. Te exijo que me __________________ (decir) la verdad.
8. La madre exige a sus hijos que no le __________________ (mentir).
9. El gobierno exige a los ciudadanos que no __________________ (salir) de sus casas.
10. Los trabajadores exigen que se les __________________ (reintegrar) sus puestos de trabajo.
11. Te ordeno que __________________ (limpiar) la cocina después de cocinar.
12. La policía ordena a los manifestantes que se __________________ (retirar).
13. Los bomberos ordenan a los curiosos que __________________ (irse) de la zona en peligro.
14. El ladrón ordena a las víctimas a que __________________ (encerrarse) en el baño.
15. El maestro ordena a sus alumnos que __________________ (callarse) inmediatamente.

Escribe 5 oraciones usando los verbos: pedir, suplicar, exigir, demandar, querer + presente del subjuntivo.

Escribe 5 oraciones usando los verbos: recomendar, aconsejar, sugerir + presente del subjuntivo.

Escribe consejos con las siguientes ideas.

1. Estar débil/comer mejor.
2. Querer viajar/aprender un idioma.
3. Ramón tener mucha tos/tomar jarabe.
4. Ricardo e Ignacio jugar mejor fútbol/entrenar más duro.
5. Ser famoso/ser más original.

6. Sacar buenas fotos/comprar nueva cámara.

____

7. Conseguir un trabajo/buscar todos los días.

____

8. Falta de tiempo/levantarse más temprano.

____

9. Ir a un restaurante popular/hacer una reserva.

____

10. No poder dormir/no tomar café.

____

¿Indicativo, subjuntivo o infinitivo?

1. El profesor de italiano siempre nos pide que (practicamos/practiquemos) más.
2. El médico dice que no es bueno (tomar/tome) alcohol por la mañana.
3. El periódico avisa que las calles principales (están/estén) cerradas.
4. Te aconsejo que no (vas/vayas) sola, es muy peligroso.
5. El camarero nos sugiere que (comemos/comamos) el pescado a la parrilla. ¿Ustedes, qué piensan?
6. Los políticos (piden/pidan) los votos de la gente del pueblo.
7. Las madres quieren que sus hijos (son/sean) felices.
8. Demando que me (dan/den) una explicación.
9. Pedimos autorización para (salir/salgamos) más temprano.
10. Te avisamos que (vas/vayas) a tener problemas si sigues con esa actitud.
11. Te confirmo que (tenemos/tengamos) la reunión mañana a las ocho.
12. Les pido que me (dejan/dejen) tranquila.

13. Mis padres quieren que (estudio/estudie) más.

14. Mi hermano comenta que el libro que (quiere/quiera) comprar es muy interesante.

Deseo y preferencia

(Yo) Espero que (él) sea feliz.

Prefiero que cenemos en casa.

Quiero que vayas a buscarme un vaso de agua.

Insisto en que te quedes a vivir con nosotros.

Deseo que me regales un anillo de diamantes.

Completa.

El jefe quiere que los empleados…

______________________ (trabajar) más horas.

No ______________________ (tener) vacaciones.

No ______________________ (usar) internet.

No ______________________ (hablar) por teléfono con sus amigos.

No ______________________ (cometer) errores.

La madre prefiere que su hijo…

______________________ (ir) a la universidad.

No ______________________ (casarse).

______________________ (buscar) un trabajo.

______________________ (aprender) otro idioma.

______________________ (comprar) una casa cerca de la suya.

Siempre le ______________________ (regalar) flores.

El niño desea que…

Papá Noel le _____________________ (traer) muchos regalos.

Sus amigos siempre _____________________ (querer) jugar con él.

Su perro _____________________ (aprender) a traerle lo que le pide.

Sus padres le _____________________ (regalar) una hermanita.

Sus primos _____________________ (venir) a visitarlo.

Su hermana le _____________________ (prestar) su computadora.

<u>*Completa los espacios con un verbo que consideres apropiado.*</u>

Querida Estela:

¿Cómo estás?

Espero que ____________ bien. Yo estoy bien, pero te extraño tanto que no puedo respirar. Quiero que ___________ feliz, pero no puedo aceptar que otra persona ocupe mi lugar. Te aconsejo que _______________ una casa cerca de la mía para que podamos vernos todos los días, aunque sea de casualidad.

Te recomiendo que la casa _____________ vista al mar, tú sabes cuánto me gusta el mar, pero con mi sueldo de maestro jamás podría comprar algo así. Por eso quiero que tú lo ____________ .

Mi salud está mejor. El médico me dice* que _______________ de fumar y que no ____________ más alcohol, pero tú sabes lo difícil que es eso para mí. Bebo y fumo desde que tengo dieciocho años y no puedo imaginar la vida sin los cigarrillos, la bebida y tú, Estela, siempre tú.

Te pido que me _____________ pronto porque necesito noticias tuyas. Hace diez años que no me escribes y no sé qué pensar. A veces creo que te olvidaste de mí. Pero tú sabes cómo soy, me preocupo por todo.

Bueno, querida Estela, ruego que ___________ bien y que me ____________.

Te mando un abrazo.

Lucas.

*Usamos el subjuntivo en la cláusula dependiente con el verbo 'decir' en la cláusula independiente cuando la persona de la cláusula independiente lo está usando como un pedido o como una orden.

Duda, incertidumbre y sorpresa

La novia de Pedro duda que él le regale flores.

En el ejemplo anterior también tenemos dos sujetos, la novia y Pedro. "La novia duda", refleja cómo se siente o lo que ella cree o piensa de otra persona (su novio). La primera parte de la oración está en presente del indicativo y la segunda en presente del subjuntivo.

Que la novia dude, no es un hecho de la realidad. Si Pedro le va a regalar flores o no, no lo sabemos, por eso la segunda parte está en subjuntivo.

> Cuando la cláusula principal expresa duda, debemos usar el subjuntivo en la cláusula dependiente.

Verbos como dudar: no creer, no pensar, no estar seguro.

Ejemplos:

No creo que sea necesario llevar el pasaporte.

No pienso que sea una mala persona.

No estoy segura de que venga Roxana.

Verbos que expresan sorpresa: sorprenderse, asombrarse, extrañarse, desconcertar, impresionar, etc.

Ejemplos:

Me asombra que la situación no cambie.

Nos extraña que Luis sea tan pesimista.

Me sorprende que nunca tenga tiempo para tomar un café conmigo.

Es también usado en cláusulas dependientes cuando en la cláusula principal expresa emociones y sentimientos.

Verbos que expresan emociones o sentimientos: fascinarse, maravillarse, alegrarse, entristecer, angustiar, amargar, deprimirse, apenar, enojarse, etc.

Ejemplos:

¡Me alegra que vengas con nosotros!

Nos entristece que se vayan tan pronto.

Les preocupa que trabajes tanto.

Temo que llueva y que no podamos hacer la fiesta afuera.

Arma oraciones con la siguiente información.

1. Alegrarse nosotros/ustedes irse de viaje.

___

2. Encantar a ellos/tú vivir cerca.

___

3. Preocupar Tomás/su mujer tomar pastillas para dormir.

___

4. Temer yo con inflación/salario no ser suficiente.

___

5. Lamentar nosotros/algunos invitados no llegar a tiempo para la reunión.

___

6. Sentir nosotros/las gallinas no poner huevos.

___

7. Hacer feliz a nosotros/mi hija esperar otro hijo.

___

8. A mí encantar/hacer un viaje todos juntos.

___

9. Mis profesores alegrarse/yo publicar un libro.

___

10. La policía temer/conductores manejar alcoholizados.

____

Quiero que sea...

Conocer gente por internet.

Existen diferentes opiniones sobre este tema y hay mucha gente que piensa que nunca lo haría. Para mí, la primera pregunta que deberíamos hacernos es: ¿internet es un medio como cualquier otro para conocer gente?

Yo considero que sí o, mejor dicho, ¿por qué no?

Hay personas que dicen que es peligroso porque no sabemos quién está del otro lado de la computadora. Y eso es cierto. Pero cuando vamos a un bar, ¿acaso conocemos a las personas que se nos acercan? ¿Podemos confiar en alguien por su aspecto físico o su ropa? ¿Es eso lo que nos deja más tranquilos?

Si esa es la excusa, también podemos usar una cámara web y de esta forma, ver qué tipo de ropa usa. ¿Pero qué información nos da la ropa y el aspecto físico?

Por otro lado, hay gente que critica el hecho de conocer gente por internet. ¿Quién no quiere conocer 'al amor de su vida'? ¿Quién no tiene fantasías con su príncipe azul?

Si alguien vive en un pueblo con muy pocos habitantes, ¿qué debería hacer, mudarse, quedarse soltero/a para siempre?

Si alguien vive en una gran ciudad, pero trabaja mucho y no tiene tiempo para salir, ¿tendría que aceptar su situación y vivir solo o sola para siempre?

Considero que no. Además, no es algo nuevo. Hace muchos años existían anuncios clasificados y, de hecho, todavía existen algunas revistas y periódicos donde la gente puede enviar su aviso describiendo a la persona que les gustaría conocer.

En las páginas de internet que existen hoy en día, uno puede no solo describir qué tipo de persona le gustaría conocer, sino además, una serie de características muy importantes como son: educación, pasatiempos, religión, intereses, trabajo y muchísimas más.

Eso no quiere decir que vamos a encontrar a alguien de la horma de nuestro zapato, pero las posibilidades son más, o probablemente más reales de que, por lo menos, encontremos un buen amigo.

Ahora escribe tu propio aviso buscando a tu 'media naranja'.

Más usos del subjuntivo

Existen también expresiones impersonales que transmiten duda y son:

Es posible	Puede ser	Es probable	Es extraño
No es seguro	Es dudoso	Es raro	

Es posible que tenga que pagar una multa.

Es raro que me hable así.

Es probable que lo despidan a fin de mes.

El verbo 'haber' (hay, había, hubo, habrá) es 'haya' en subjuntivo.

Es probable que no haya nadie en el consultorio a esta hora.

Es posible que haya gente que necesite ayuda.

Completa las oraciones con un verbo que tenga sentido.

1. Es posible que...

2. Puede ser que nosotros...

3. Es probable que nunca...

____

4. Es raro que él...

____

5. No es seguro que Mónica...

____

6. Es dudoso que juntos...

____

7. Es increíble que Ernesto...

____

8. Parece mentira que ellos...

____

9. Es imposible que no...

____

10. Es poco probable que...

____

Adverbios y expresiones de duda

Quizá/quizás.

Quizás tenga que irme antes porque mi hija está enferma.

Pero

Quizás voy más tarde.

Tal vez/por ahí.

Tal vez tenga tiempo de almorzar, ¿querés que nos juntemos?

Pero

Tal vez lo llamo y le digo que no tengo ganas de verlo.

Por ahí te veo en el restaurante más tarde porque mi jefe está de viaje.

Con quizá, tal vez y por ahí + indicativo = más posibilidades que la acción suceda. La persona que habla considera que la acción es más probable que suceda y, por lo tanto, usa el indicativo.

Completa los espacios en blanco con el presente del subjuntivo.

1. Es probable que no ____________________ (adaptarse/usted) a la vida de la ciudad.
2. Es raro que ____________________ (aburrirse/yo) en la clase de historia.
3. María duda que Arturo ____________________ (cumplir) su promesa.
4. Es poco probable que Ignacio ____________________ (dejar) de fumar.
5. Es posible que los ____________________ (ayudar) con la mudanza.
6. Nosotros no creemos que los Martínez ____________________ (alquilar) la casa en la playa.
7. Me extraña que alguien ____________________ (llamar) a esta hora de la noche.
8. Roberto no piensa que ____________________ (tardar) mucho más en terminar el informe.
9. Es improbable que ____________________ (mudarse/nosotros) antes de febrero.
10. No creen que las condiciones ____________________ (variar) mucho.

Existen también expresiones impersonales que transmiten sentimientos, emociones y juicios de valor:

Es triste que	Qué bueno que	Es un placer que
Es preocupante que	Es lamentable que	Qué alegría que
Es una lástima que	Es importante que	Es necesario que

¡ATENCIÓN!

Hay algunas expresiones y verbos que si bien expresan duda van seguidos del indicativo:

Creer que	Pensar que	Parecer que

Cuando el sujeto de la oración no expresa duda, la cláusula dependiente va en indicativo:

Es obvio que	Es verdad que	Es seguro que
Es cierto que	Es evidente que	Estar convencido de que

Elige entre el indicativo y el subjuntivo según el contexto de la oración.

1. Si quieres aprobar el examen (tienes/tengas) que estudiar.
2. Ignacio nos pide que nos (apuramos/apuremos) para no llegar tarde.
3. Es necesario que (arreglo/arregle) la casa antes de que lleguen los invitados.
4. Si (atraviesas/atravieses) el parque verás que es el camino es más corto.
5. Quiero que me (besas/beses) ahora.
6. Es necesario que la comida (está/esté) caliente para las nueve.
7. Es importante que no dejes que Manuel (conduce/conduzca) el auto.
8. No creemos que una casa en el bosque (cuesta/cueste) demasiado.
9. Los investigadores sospechan que el ladrón (se lleve/se llevó) todas las joyas.
10. Es cierto que (nieva/nieve) al sur del país.
11. Es probable que (definen/definan) la política económica esta semana.
12. Es verdad que los niños (desobedecen/desobedezcan) a sus padres.
13. Nos alegra que tu hija (se siente/se sienta) mejor que la semana pasada.

14. Quiero que Carlos (se enamora/se enamore) de mi pronto porque ya no tengo más paciencia.

15. Es importante (gozar/goces) de buena salud.

Escribe oraciones con las siguientes expresiones impersonales.

1. Es obvio que...

   ____

2. Es cierto que...

   ____

3. Es importante que ...

   ____

4. Es posible que...

   ____

5. Es improbable que ...

   ____

6. Es poco probable que ...

   ____

7. No es importante que...

   ____

REPASO

1. Nos preocupa ____________________ vayas con ese grupo, no son buena compañía.
2. Los ecologistas dicen que ____________________ (deber) respetar un poco más la naturaleza.
3. Quiero ____________________ (subscribirse) a una revista francesa.
4. Es importante que mi esposa ____________________ (recuperarse) del accidente.
5. Es ridículo que ____________________ (enojarse) así, es todo culpa suya.
6. Les pedimos que nos ____________________ (prestar) la película por una semana.
7. No queremos ____________________ te canses antes del campeonato.
8. Me encanta que te ____________________ (ir) bien en tus estudios.
9. El médico dice que la enfermedad ____________________ (tener) tratamiento.
10. Es necesario ____________________ (llevar) algo de efectivo.
11. Llevamos el celular porque dudamos que ____________________ (poder) usar el suyo.
12. Prefiero que te ____________________ (familiarizar) con la ciudad antes de ____________________ (mudarse).
13. No sabíamos que Tomás ____________________ (quedarse) encerrado en el ascensor por tres horas.
14. No me gusta que la gente ____________________ (aprovecharse) de los más necesitados.
15. Queremos ____________________ (celebrar) tu cumpleaños en un lugar especial.
16. En la embajada me aconsejan que ____________________ (renovar) el pasaporte antes de viajar.

17. Es evidente para mí que Víctor __________________ (estar) confundido. No __________________ (entender/él) cómo funciona el sistema.

18. Te escribo para __________________ (saludar a ti).

19. Me alegra que no __________________ (olvidarse/tú) de mí.

20. Espero que no __________________ (llover) mañana, quiero ir a nadar al lago.

Made in United States
North Haven, CT
18 October 2021